La vita Italiana

D0333658

Jaap van den Berg

La vita Italiana

2008 Uitgeverij Aspekt

La vita Italiana
© Jaap van den Berg
2008 Uitgeverij ASPEKt
Amersfoortsestraat 27, 3769 AD Soesterberg, Nederland
info@uitgeverijaspekt.nl - http://www.uitgeverijaspekt.nl
Omslagfoto: Jaap van den Berg
Omslagontwerp: Aspekt Graphics
Binnenwerk: Paul Timmerman
Druk: Krips b.v., Meppel

ISBN-10: 90-5911-694-1
ISBN-13: 978-90-5911-694-8

Opgedragen aan:

'Pas als ik niet meer aan je denk, dan ben je dood', staat er in de krant bij een rouwadvertentie. De herinnering blijft, maar vervaagt in de loop der tijd.

Wat ben je dan nog: een vage herinnering. Duizenden gedachten zijn er tijdens mijn leven door me heengegaan, gedachten waar niemand weet van heeft. Outsiders hebben je ooit voorzien van een predikaat, gevormd in 'a split second'. Daar moet je het dan maar mee doen. Spoedig ben je uit hun horizon verdwenen. Niets is er dan meer over. Mijmerend over deze dingen dacht ik dat ik duizenden gedachten in herinnering kon achterlaten, die de moeite waard zijn. Blijven ze echter in mijn eigen hoofd, dan heeft er niemand wat aan.

Langzamerhand begon zich het idee te vormen, dat ik leef zo lang mijn gedachten op papier staan en gelezen worden. Dat moet dan wel in een boek zijn, want dat blijft langer bewaard.

De eerste keer dat ik achter de computer ging zitten, had ik slechts flinterdunne ideeën en dacht: 'het zal wel bij een bladzijde blijven'. Ik had me vergist. Kennelijk wist ik zelf niet goed waar ik toe in staat was. Mijn vingers werden mij de baas en wisten van geen ophouden.

Obsessief ratelden ze op hun doel af, zonder gefrustreerd te worden door valse inmengers in de strijd. Voor het eerst in mijn leven kon ik doen wat ik wilde, zonder tegengehouden te worden door wie dan ook. 'Est, est, est', dacht ik. 'Dat is het'. Dit is mijn domein. Hier ben ik de baas.

Niemand die me belet of corrigeert. Ik had mezelf gevonden. Ik ben mens geworden.

Daarom draag ik het boek op aan mijn dochter Leonie. Zolang je mij leest, besta ik.

Ik besta, dus ik ben!

1

Amici

We waren er niet meer weg te slaan. Het was een verslaving geworden. Hoe kom je daar van af? Psycholoog, psychiater, praatgroep? Het was gelukkig een verslaving waarmee je geen kwaad aanrichtte bij anderen. Het was slechts een vakantieoord waaraan we ons hart verpand hadden.

De eerste jaren wist je het nog zeker. Hier gaan we voorlopig naar toe.

Alles was er wat we wensten. Een heerlijke temperatuur, heerlijk water, de afstand was nog redelijk, een prachtige omgeving, bergen, maar wat erg belangrijk was en wat mijn hele vakantie kan verpesten: Muggen!

Muggen, die waren er niet.

Dat constante gezoem om je hoofd, je mept je wezenloos.

Dan zit je ook nog eens een keer vol bulten.

Vooral 's nachts. Helemaal erg. Als je aan het infuus ligt van zo'n bloedzuigertje. Hij levert ook een tegenprestatie: Wat speeksel. Krijg je lekker jeuk van.

We hadden ons dan ook voorgenomen voordat we op het idee kwamen dat we wel eens ergens anders heen wilden: Deze verworvenheden moeten we nooit meer prijs geven.

Het meer van Caldonazzo. Daar was het allemaal.

Ongeveer anderhalve dag rijden met caravan. Dan vond ik het ook wel genoeg. Het duurde niet lang of het was een grote familie daar. Heeft zijn voor en zijn tegens. Aan de ene kant een beetje benauwend. Iedere beweging was gecontroleerd.

Ging je even naar de wasgelegenheden aan de andere kant

van de camping, dan kon je er niet onderuit om twintig maal te groeten. Ciao Roberto, ciao Diego, ciao Gigi.

Een campingpad leverde al gauw zo'n honderd Italiaanse woorden op. Een niet gering aantal. Op den duur werd je daar ook wel een beetje melig van, maar het woog niet op tegen het plezier dat je er van had.

Prachtig vond ik het om de afwas te gaan doen.

Hoe kun je dat nou prachtig vinden?

Alleen al de wandeling over het pad naar de afwasruimte bezorgde me een hoop plezier. Dan kwam ik met mijn afwasteiltje volgeladen met plastic eetgerei langs alle Italiaanse families.

Aanvankelijk stonden ze allemaal perplex.

Een man die de afwas deed? Zou die straf hebben gekregen van zijn vrouw?

Dat hadden ze nog nooit meegemaakt.

Als ik langskwam dan was het: 'Bravo Jaap!' 'Bravo Jaap', 'Bravo Jaap!'

Ik kreeg het gevoel dat er iets echode in mijn oren. Maar het waren slechts vriendelijk Italianen.

Wanneer ik even later een wijntje dronk of een café bij een van hen, dan wilden ze me toch wel even duidelijk maken dat ik hen in een moeilijk parket bracht.

'Neem eens een voorbeeld aan die Hollander', zei een Italiaanse Signora dan.

Aan de ene kant hadden ze dus plezier om die Hollander, maar aan de andere kant was die voor hen behoorlijk de markt aan het verpesten.

'E colpa tua', jouw schuld, dat wij straks ook moeten afwassen. Had ik ook wel plezier om.

Dat ik in mijn eentje de Italiaanse mentaliteit een beetje kon bederven. Afwassen was trouwens heel leuk.

Stond ik daar als enige man tussen allemaal Italiaanse vrouwen. Meestal luid kakelend. Praten doen ze nooit. Ze kakelen. De een nog harder dan de ander.

Al afwassend probeerde ik de conversatie te volgen.

Soms was dat moeilijk vanwege het dialect.

Dan dacht ik: 'Laat ik eens een provocerende opmerking maken. Kijken of ze reageren.'

Echt vrouwenwerk zei ik mopperend. 'Lavori per donne'.

Dat werkte. Het hele spul begon te schaterlachen.

'Bravo Jaap,' dat ik dat vrouwenwerk dan toch maar deed.

Ze zouden eens proberen of ze hun man ook zo gek konden krijgen.

Nog eens een keer provoceren.

'Zijn jullie niet geëmancipeerd, dat jullie die afwas nog steeds doen?'

'Jawel, wij zijn wel geëmancipeerd, maar onze mannen nog niet!'

Zo, die was raak! Ze waren niet op hun mondje gevallen.

Het werd steeds gezelliger.

Iedere avond weer verheugde ik me op de afwas.

Ik kreeg het gevoel dat die vrouwen er ook niet meer vanaf wilden. Toch duurde het niet lang of de eerste Italiaan kwam ook met zijn bakje met afwas aan. (Piatti)

Hij kwam naast me staan en zei tegen me: 'Dat is allemaal jouw schuld, jij hebt het verpest voor ons.'

Al flauwekullend merkte ook hij, dat het eigenlijk best gezellig was daar. Twee slachtoffers. We maakten er een feestje van.

't Kon erg lang duren, zo'n afwas.

Ook het terug gaan met de schone piatti kon veel tijd vergen. Overal werd ik aangesproken.

Als ik mijn vrouw beloofde vijf minuten weg te blijven dan moest ze dat meestal wel erg ruim nemen. Ze wist me wel weer te vinden. Pratend, chiacchierando.

Je raakte een beetje verstrengeld met dat volk. Dat lieten ze ook merken: 'Sei un Italiano vero', je bent een echte Italiaan.

Was ook een beetje zo.

Ik betrapte me erop dat als een Italiaanse voetbalclub won van een Nederlandse, bijvoorbeeld Milan tegen Ajax dat ik eigenlijk niet verliezen kon. Ik gunde ze allebei de overwinning.

Dat had ik met andere landen niet. Het twee nationaliteiten gevoel zal ik maar zeggen, maar dan met een paspoort. Uitnodigingen kregen we ook. Om met hen op pad te gaan. De bergen in. Soms ook bij hen thuis. Ineens wordt het dan wel lastig. Gaan ze over in een zwaar dialect. Oef, daar sta je dan met je goeie gedrag.

Heb je braaf geleerd dat een 'mes' een 'coltello' is, heeft het er een over een 'codei'. Daar werd je dan wel een beetje moedeloos van.

Duurt niet lang of ze hebben je al heel veel geleerd van de platte vocabulaire (vocabulario). Laten we maar zeggen het vulgaire taalgebruik.

Het hele gezelschap brult van het lachen als het gaat over 'Chiavare'.

'La Chiave' is de sleutel. Maar om een sleutel wordt niet zo hard gelachen.

Je komt er dan al snel achter dat 'Chiavare', 'neuken' betekent.

Zo'n avondje bij een ander volk thuis, daar leer je een heleboel van. Hoe de verhoudingen in elkaar zitten. Dat 'la mamma' wel eens veel meer te vertellen zou kunnen hebben dan je eerst vermoedde.

Je ziet ook dat de familiebanden veel hechter zijn dan bij ons.

Zoonlief getrouwd en wel komt nog iedere dag ontbijten bij 'la mamma'. Hij blijft het kind. Italiaanse mannen zijn allemaal 'mammakindjes'. Ze blijven vertroeteld worden. En ze laten zich het allemaal heerlijk aanleunen.

Ze zijn ook heel tolerant met hun kinderen. Ze kunnen er heel veel van hebben. Niettemin houden ze ze toch aardig onder controle. The 'Nanny', is daar nog niet nodig.

Hoe geadoreerd een Italiaan met een baby op de arm over de camping kan flaneren.

Zo zie je dat een Nederlander niet doen.

Hij loopt over van trots. De trots druipt er van af.

Het is geen baby op de arm, maar een creatie.

'Una Creazione di Dio'.

Uren kan dat duren. Totdat de baby slaapt. Dan mag hij slapen.

Het is een film die zich voor je ogen afspeelt. Niets doen en toch iets leren. Genieten is heel subtiel op deze manier.

Je dringt bijna door tot op de pit van de samenleving als je contacten zo intens zijn. Kan alleen maar als je je echt tussen hen in begeeft. Zo leerden we ook een gezin heel goed kennen.

Diego en Graziella. Een lange rijzige Italiaanse 'Professore met zijn geliefde vrouw.

We hebben hun 'kleintjes', de 'figli', groot zien worden. Het was het perfecte echtpaar, 'coppia', in onze ogen. Was het ook.

Hij zei het zo: 'Sono un campanilista'.

Dat betekent, degene die altijd onder het torentje blijft.

Hij had er geen behoefte aan om er op uit te trekken. Bleef het liefst thuis. Bij haar. Ze hoefde niets te zeggen. Alleen haar aanwezigheid was voldoende. Zonder haar was het niet goed.

Ze staken hun liefde voor elkaar niet onder stoelen of banken. Je kon het aflezen.

Vraag je je wel eens af: 'Zou dat nooit stuk kunnen?' Het leek van niet. Altijd die volstrekte harmonie, ook met de kinderen. Tot ons laatste en zestiende jaar met hun.

We hadden besloten toch maar eens een andere plek op te zoeken. Laatste avond met de Professore en zijn vrouw.

Het ging over de kinderen.

Hun zoon had al drie keer een zwaar ongeluk op de motor gehad. 'Incidente sulla moto'. Schaafwonden over zijn hele lijf. Leven in gevaar. Papa en 'la mamma' hebben het over het 'incidente'.

Dan komt de desastreuze vraag van mij:

'Krijgt Omar wel weer een nieuwe motor?'

Wat heb ik spijt gekregen van die vraag.

'Van mij niet', zei zij. Maar ik heb een vent zonder ballen, dus van hem krijgt hij er wel een.'

Daarop antwoordde hij dat hij een vent was zonder ballen en dat zij een vrouw was die er vier had.

Hij liep weg. In tranen.

Hij kwam gelukkig meteen terug.

'Scusa,' zei ik, had ik niet moeten vragen.

'Succede', gebeurt zei hij. Zoiets van: gebeurt nou eenmaal in het leven. Hoort erbij.

Vervolgens kreeg ik toch nog een verklaring van hem.

'Als ik hem die motor niet geef, dan leent hij geld van zijn vrienden.'

Ik wist er ook geen raad mee. Het plezier was een beetje van de avond af. Nooit eerder was ik in een zo diepgaand echtelijk conflict terecht gekomen.

Ik was diep getroffen, verscheurd. Zwijgend keerden we huiswaarts.

2

Lago di Caldonazzo

Zo voldaan waren we over de plek die ons alles bood wat we maar wensten, dat we er steeds maar weer terug keerden.

Daar krijg je vragen over: Wie gaat er nou steeds naar dezelfde plek! Wij dus. Waarom kan ik je wel uitleggen, maar dat doe ik niet. Het werkt niet helemaal volgens het principe 'Het geheel bestaat uit de som der delen.'

Er zijn wel meer plekken die aan al je eisen voldoen, als je alle punten gaat optellen dan zou dat voor jou 'The Place to be' moeten zijn. Door een bepaalde plek word je geraakt.

Het is iets wat je te grazen neemt zonder dat je er erg in hebt. Ineens is er het gevoel, hier moet ik weer naar toe.

Na enkele jaren lijkt het op een verslaving en dan komen de kritische vragen.

'Waarom steeds naar die plek?'

Dat moet dan toch wel heel bijzonder zijn.

'Is het ook. Voor ons.'

'Misschien niet voor jullie.'

Toch komt de vraag:

'Mogen wij daar ook eens komen kijken?'

Dat is dan ook al een heel aantal keren gebeurd. Familie, vrienden, collega's. Geen van allen viel het tegen. Ze raakten echter niet zo verslaafd aan deze plek als wij.

Nou moet ik wel zeggen dat contacten makkelijker gelegd worden indien je de taal des volks spreekt. Maar dat is geen voorwaarde. Talloze mensen kende ik die Italianen als vrienden hadden terwijl ze geen woord Italiaans spraken.

Vaak spraken ze dan wel Duits of een taal die je een krui-sing zou kunnen noemen tussen algemeen onbeschaafd Hol-lands en slecht Duits. Vuilnisbakkenduits. Niks mis mee.

Veel handen en voetenwerk. Ze hadden meestal meer ple-zier dan wij. Lachen, gieren, brullen.

Je vroeg je wel eens af waar die conversatie over ging. Nergens over. Meestal leerden ze elkaar hun taal.

De Nederlander leert in zijn halfbakken Duits de Italiaan wat Nederlands:

'Kommen Sie eens nach Holland.'

'Non capito' (niet begrepen) 'Che cosa?' 'Wat?'

'Sie', wijzend met de vinger naar hen, 'nach Holland', wij-zend met de vinger naar zichzelf.

'Ah capito, Wir Olanda.'

'Ja, prima, prima!' (is geen Italiaans voor uitstekend.)

Maar het is begrepen.

'Wir Sie laten zien Olanda.' Amsterdam, Rotterdam, Scheveningen!'

'Che cosa?'

'Scheveningen, Sie mir nachsagen!'

'Scheveningen!'

'Skeveninken.'

'Nee Scheveningen. Sag mal:
Schhhhhhhhhhhhheeeeeeeeeeeeeeeeee!'

'Ske.'

'Nein, Sche.'

Het gegier wordt steeds luider.

De Italiaan kan de 'SCH' niet zeggen.

De Italiaan: 'Io Gigi' (Naam)

'Tu? (jij) Nome, Nahme.'

'Ich heisse Gerrit.'

'Kerrit?'

'Nein, Gerrit.'

Het gelach houdt niet meer op. De glazen worden weer vol geschonken. Wat een leuk volk die Italianen. Kun je nog eens mee lachen. Het gezelschap wordt steeds rumoeriger en de pret is groter dan ooit.

De avond is zeer leerzaam en ook nog leuk. Je leert spelenderwijs. Kan geen cursus tegen op. Van een afstandje bekeken we deze taferelen en vonden het amusant.

Af en toe benijdde ik deze mensen en dacht ik 'Was ik maar zo.' Was het leven een stuk makkelijker. Ik geloof alleen niet dat ik me alle avonden op deze wijze zou kunnen vermaken.

Als je de taal wel beheerst, dan kun je je natuurlijk ook wel bezig houden met enkele banaliteiten in de taal, maar als het komt op het gebied van de humor, dan kan het nog aardig lastig worden.

We hebben het dan over de 'barzelletta', de mop. Is lastig want je kent de volksaard niet zo. Je weet dus ook niet zo goed waar ze om lachen.

Mij was verteld, dat als je de humor van een volk begrijpt dat je dan een heel eindje op weg bent.

Goed, zo had ik geleerd, dat een vogel een 'Uccello' was.

'Uccello' betekende ook het vogeltje achter je gulp.

'Felicita' was geluk.

Op een gegeven moment dacht ik dat ik maar eens een poging zou wagen me te begeven op het pad der humor. Italiaanse humor. Een Italiaan kun je niet meer strelen dan te zeggen dat hij een prachtige vrouw heeft.

Hij is trots en zij is trots.

Ze bedanken je beide voor het prachtige compliment.

Dus zei ik: 'Wat ben jij een geluksvogel met zo'n mooi vrouw.'

'Tu sei un uccello della felicita con una donna cosi bella.'

(Jij bent een geluksvogel met zo'n prachtige vrouw)

Nee, zei hij: 'Lei e la felicita del mio uccello!'

Zij is het geluk van mijn vogel.

Beetje banaal misschien, maar zo zijn barzelletta's nou eenmaal. Minder banaal dan dat iemand de 'SCH' niet kan na zeggen.

En dan: Als je een dergelijke mop begrijpt dan slaat men je intelligentie of anders wel je taalbeheersing in het Italiaans zeer hoog aan. Je hoort dan meteen bij de Vrienden, de amici.

Het kan niet meer stuk. Voortaan ben jij 'de professore'.

Zij maken graag complimenten. Je hebt je eerste uitnodiging te pakken. Mee eten aan de grote tafel met de hele familie.

Naar het bos, paddestoelen zoeken. De bergen in voor een lekkere 'piekkeniekke' (picknick). Hun gastvrijheid kent geen grenzen. Eten met hen, drinken met hen en lachen. Eerst een fantastische pasta op tafel. Wijn uit eigen wijngaard. Vlees van de barbecue.

Tot slot een café met daarnaast een grappa.

Op de vraag of dat laatste drankje niet erg sterk is en heel erg veel alcohol bevat, krijg je steevast het antwoord: 'Grappa medicinale. Komt uit eigen tuin en bevat genezende stoffen.

Als je de volgende dag half comatisch ontwaakt met een bonk in je hoofd dan pas heb je in de gaten hoeveel genezende stoffen er in de grappa zaten.

De stoffen waren niet genezend, maar 'voorgoed genezend'.

Lastig is het om al dat lekkers te weigeren.

Je bent bang dat je hun gastvrijheid niet waardeert. Je neemt het maar. Zelf zijn ze daar veel voorzichtiger mee. Ik heb nog nooit een dronken Italiaan gezien. Maar zij scheppen er blijkbaar een groot genoegen in om je eens op een flinke manier met hun gewoontes in aanraking te brengen.

Bij een tegen bezoekje raak je met de grootste moeite het een en ander kwijt aan ze. Dan is de avond ten einde.

Overal wordt voor bedankt.

Niet zo als bij ons: 'Het was gezellig en tot ziens.'

Nee, ook hier weer de uitbundigheid van de Italiaan.

Je wordt bedankt voor de aanwezigheid, de gezelligheid, de vriendschap. Alles. Een grote chaos zo'n feest. 'Prendere la vita come viene.' Neem het leven maar zoals het komt. Dat kunnen ze. Hoe meer chaos, hoe mooier.

'Che casino is hun standaard uitdrukking bij zo'n zooi. Ook hier weer goed uitkijken dat je de klemtoon goed legt, anders kom je regelrecht in een hoerenkast terecht.

Dan is het echt casino bij de Italiaan.

3

Parampampolo

Op zijn minst een of twee keer per vakantie moesten we erheen. Crucolo. Een plaatsje zo klein dat je er een speciale kaart voor nodig had die dat kleine gebied aangaf. Op een gewone kaart was het onvindbaar.

Ook deze vakantie moest het bezocht worden.

Aangezien we nogal wat reclame gemaakt hadden over dit gebied hadden we bezoek gekregen van enkele 'supporters'.

We besloten er heen te gaan met zijn zessen. Crucolo:

Vanaf het Lago di Caldonazzo richting Venetië.

Even voorbij Borgo linksaf, de grote weg, af richting Castelnuovo. Alleen de weg erheen al was een gevaar voor je leven. Driebaansweg. Als jij op het idee kwam de middelste baan te nemen om in te halen en op dat moment kwam een Italiaan ook op dat geweldige idee, dan hield je je hart vast.

Als jij denkt dat het niet kan, dan kan het voor hen wel. Voor hen kan het namelijk altijd.

Het is ook mogelijk dat je op de inhaalstrook passeren gaat en dat jou vervolgens op de derde baan, die eigenlijk bedoeld is voor tegenliggers, ook nog iemand passeert. Drie naast elkaar. Dat kan niet anders dan een Italiaan zijn. Zij halen overal in.

Zij halen in als er een tegenligger al heel dichtbij is, als er een doorgetrokken streep is, als er een gevaarlijke bocht is, of als er een heuvel is, waar achter plotseling een auto opdoemt.

Zij halen overal in. Het kan hun niet schelen.

Inhalen!

Wij denken er over na. Zij niet. Zij doen dat. Snelheid. Daar gaat het om. Snelheid zit hun in het bloed. Waarschijnlijk zit het in hun DNA.

Als we het DNA van een Italiaan van duizend jaar geleden zouden onderzoeken, dan weet ik zeker dat we het gen snelheid vinden.

Zij rijden op het randje van de dood. Zij tarten de dood.

Het lijkt wel of zij zich willen losrukken van de schoot van 'La Mamma'.

'La Mamma' zorgt altijd voor hen. Ze blijven ook heel lang thuis. Nergens heb je het zo goed als bij 'mama'. Waarom zou je dan ook weg gaan?

Geen enkele mooie jonge dame kan concurreren tegen 'La Mamma'. Als je zo'n stukje weg aflegt van Caldonazzo naar Castelnuovo, dan ben je blij dat je het weer overleefd hebt. Echt levensgevaarlijk. Kijk eens naar de Formula I van de motorsport. Allemaal Rossi. Links en rechts komen ze je voorbij brullen.

Dat hebben ze van Rossi afgekeken.

Zij rijden niet door een bocht. Ze liggen in een bocht. Bijna plat. Machocultuur.

Dat hebben ze met auto's en met motoren. Hard moet het gaan, met veel gebrul.

Even de macho uithangen. Dan kunnen ze thuis weer de kleine jongen zijn. De bambino della mama.

Even de veiligheid loslaten, met gevaar voor eigen leven. Dat contrast, daar gaat het om.

Wij zijn bang als ze ons passeren. Waren zij maar eens bang. Kennelijk ontbreekt er iets bij hen.

Rijd je over een bergweg. Overal zie je bloemen. Neergelegd, met een foto erbij. Dood.

Morto Mario, Francesco, Danillo, Pietro enz, enz. Luguber schouwspel.

Rijden op het randje, het randje van de dood.

Af en toe moet je lachen.

Langs het ravijn heeft men de weg afgebakend met paaltjes. Allemaal omgereden.

Je hebt geluk als er nog eentje staat. Niet altijd gaat dat goed.
Waag het maar eens over dat randje heen te kijken.
Je treft dan menig 'moto of macchina' aan. (motor of auto).
Aan diggelen.
Waarschijnlijk dachten ze dat het door het ravijn wat sneller zou gaan. Af en toe probeerde ik wel eens zo'n mafkees bij te houden. Vergeet het maar.
Hoewel mijn auto veel sneller was, kwamen ze mij voorbij.
Zelfs in een 'Cinque Cento' (Fiat vijfhonderd).
Als ik op de grens reed dan reden zij er overheen.
Als ik dacht niet inhalen, minder gas, dan gaven zij gas.
Ik had het gevoel dat ze met een blinddoek voor reden.
Het woord' gevaar' is voor hen onbekend.
'Pericolo', (gevaar) is voor buitenlanders, niet voor hen.
Terwijl dit allemaal door je heen gaat als je rijdt zie je plotseling het bordje 'Castelnuovo' staan. Links af daar.
We verlaten de brede weg en gaan richting Crucolo.
We komen op smalle weggetjes terecht.
Na een poosje vinden we het bordje Crucolo niet meer.
Waarschijnlijk denken Italianen dat je in een gebied waar niemand komt de weg niet meer hoeft aan te geven.
Immers wie daar komt weet toch waar Crucolo ligt? Gelukkig kan iedereen het je vertellen.
De weg wordt heel smal en steil. Een helling van zestien procent, kilometers lang.
We kruipen in de tweede versnelling omhoog en kijken af en toe eens achterom of onze supporters ons nog volgen.
De weg is zo smal dat je niet iemand moet tegenkomen.
Er moet er dan een terug naar een plek waar de weg een uitsparing heeft. Valt niet mee op zo'n steilte.
Als er een bocht opdoemt, dan moet je even claxonneren.
Je voorkomt er een frontale ontmoeting mee.

Opzij kijken durf je bijna niet, in zo'n diepte.

Bij iedere bocht een voorstelling: 'Bloemen en een foto'. Je kunt je aandacht maar beter op de weg houden. Geen behoefte om mijn foto er tussen te plaatsen.

Het lijkt wel een onwerkelijke film. Al die foto's. Altijd jongens. Nooit meisjes. Meisjes zijn ook niet macho.

Waarschijnlijk zaten er ook geen meisjes bij de jongen in de auto, want er is nooit een meisjes foto bij.

Toch weer zo'n film die zich afspeelt in je hoofd terwijl je goed moet opletten.

Goed, dan komen we aan bij de 'Rifugio'. Een soort berghut. Verder geen huis te bekennen.

Welke idioot zou daar nou een restaurant beginnen vraag je je af. Niemand die er langs komt. Een levens gevaarlijke weg erheen.

Terug is nog gevaarlijker uiteraard. Dan is het donker. En de drank!

We gaan naar binnen.

Voor de zekerheid hadden we af gesproken. Het wordt er namelijk altijd boordevol. Vooral in het weekeind. We zoeken een mooie plek op. Op het terras.

Eindeloos mooi uitzicht op de bergen. Het wordt al een beetje schemerig.

Een rode bol verdwijnt achter de bergen. We gaan met zijn zessen aan een tafeltje zitten. Jacobo, Natasja, Rita en Benito, Ricca en Rudolfo.

Drie stellen. Een stel beweegt zich het liefst wat op de achtergrond, het andere het liefst op de voorgrond, wij ongeveer het gemiddelde van die twee.

Hoewel er nogal verschil is in karakter, gaat het toch goed samen. Bij allemaal is er de intentie om er een 'bella serata' van te maken. De randvoorwaarden zijn perfect.

We zitten amper of er komt al een serveerster aan die ons niet wil teleurstellen.

We bestellen een muskaatwijn. Bubbels dus. 'Gaz'.

De stemming is er al gauw in. Zeker als er een fles leeg is. Nodig is dat niet echt. Na enkele minuten beginnen enkele Italianen liedjes te zingen. 'Canzoni della Montagna', liedjes uit de bergen. Prachtig, wat zingen ze mooi. Wat een zangcultuur in dat land! De sfeer wordt steeds beter. De liederen weerklinken in de bergen. Het lijkt wel of de bergen de liederen mooi vinden. Ze geven steeds antwoord terug.

Enkele Duitsers willen laten horen dat ze ook liederen hebben. Klinkt niet, daar, Duitse liederen.

De Hollanders willen zich niet laten kennen en beginnen ook te zingen: 'Ik heb een potje met vet, al op de tafel gezet.' Dat niveau ongeveer.

De Italianen complimenteren de Hollanders. Ze wisten niet dat wij ook een zangcultuur hadden. Gezellig is het wel.

Ik schaam me een beetje voor de platvloersheid van onze liedjes, maar misschien hebben da Italianen dat niet zo in de gaten. Moeilijk in te schatten voor een buitenlander.

De aandacht valt op een tafeltje naast ons. Daar zitten twee stellen. Waarschijnlijk bezig met de tweede leg. Ze vreten elkaar bijna op. Hun ogen raken de weg kwijt in elkaar. Wij hebben dan ook meer aandacht voor hen dan zij voor ons.

De serveerster komt ondertussen vragen wat we willen eten. Eigenlijk een overbodige vraag. Ze hebben namelijk maar een menu. Veel vlees: Karbonade, kippenvlees, konijn, saucijsjes. Daarbij zuurkool en polenta. Het is heerlijk en vooral veel.

Het is het gerecht van dat restaurant. Iedereen neemt het.

Dan valt onze aandacht weer op de twee Italiaanse stellen.

Waarschijnlijk denken we allemaal het zelfde: Tweede leg, te verliefd voor die leeftijd.

Een van de mannen lijkt op iemand. Een bekend persoon.

Allemaal tegelijk zeiden we 'Clinton'.

Aangezien de drank ons al aardig meester was geworden zou er vast wel iemand zijn die de meneer op zijn gelijkenis zou durven wijzen. Uiteraard was dat Rita. Zij had lef.

Zij zou die uitdaging wel eventjes aangaan:
'Sir, do you speak English?'
'Yes, I do.'
Goed gegokt. Waarschijnlijk een zakenman. Italianen spreken bijna nooit Engels.

Het was Rita gelukt een wig te drijven tussen de vier verliefde ogen:
'You are "a look alike" of a very famous person.'
'Do you know wich person?'
'No!'
'President Clinton.'
Het gezelschap kon er hartelijk om lachen.
'You are a very handsome man, very good looking!'

Moet je tegen een Italiaan zeggen. Die voelt zich gestreeld.
Hij was ook niet te beroerd om terug te vleien:
'You are also a very good looking lady.'
Rita groeide.

De gezelschapsdames van de Italianen begonnen zich al wat ongemakkelijk te voelen. Ze maakten nog net niet het gebaar van een scheermes langs de keel, maar het scheelde niet veel.

Het waren dames van een zekere klasse. Die laten dat op een andere manier voelen.

Op zeker moment zat Rita bij Clinton op schoot. Op zijn sigaar. Clinton lachte, maar waarschijnlijk niet echt gemeend.

Ik weet niet hoeveel blauwe plekken hij al had op gelopen onder de tafel door.

Ondertussen kwam de ober langs om een toetje te serveren. IJs. Daarna kwam hij met een groot dienblad langs met allemaal kleine kopjes er op: Alles werd in de fik gestoken. Parampampolo!

Verschillende keren kwam hij er mee langs. Een heerlijk likeurtje was het. Echt uit de streek. Het was eigenlijk het brouwsel van de restauranthouder daar. Zelfs Amerikanen schenen het te kennen.

Ooit had ik dat in de krant gelezen. Parampampolo doorgedrongen tot in Amerika. Hoe was het mogelijk?

Het bevreemdde ons dat de ober een wijsvinger miste.

Zou er een verband bestaan tussen het gemis van de wijsvinger en de Parampampolo?

Hadden we al niet eerder een ober gezien hier die ook diezelfde vinger miste?

Een mysterie was geboren.

Er waren toch wel meer obers die zoiets deden met behoud van hun vingers? Zal wel toeval geweest zijn.

Voordat de toestand bij Clinton met dame op schoot uit de hand loopt gaat iedereen van tafel af. Er klinkt muziek uit de zaal. Iedereen gaat dansen. Dansen kunnen ze Italianen:

Tango, Engelse wals, Weense wals, Polka, maar ook de Polonaise.

Een groot feest wordt het. Carnaval, maar niet verkleed.

Alles danst met iedereen.

Een jonge vrouw kan gevraagd worden door een oude man.

Een jonge man kan dansen met een oude vrouw.

Weigeren gebeurt niet.

Ze dansen. Geen selectie. 'Ballare con passione'. Italië een danscultuur. Voor iedereen.

Of ze het kunnen of niet. Het ziet er altijd goed uit.

Als ze het niet goed kunnen dan, geven ze je het gevoel, dat ze het kunnen.

Zij laten de vrouw voelen, dat ze een 'bella donna' is, of ze nou mooi is of lelijk.

Zelfs oudere vrouwen voelen zich gestreeld. Zij worden voor even een mooie vrouw.

Laat dat maar aan de Italiaan over. Hij kan dat als geen ander.

Wat is er meer geschikt voor dan de dans?

De muziek klinkt vanuit een nis in de muur. Een leuke band. Alle Italianen zingen mee.

Ze kennen ook allemaal de tekst.

Dan gaan we tot slot nog de grote cantina in, de kelder.

Daar mogen we nog allerlei wijnen proeven. Grote kazen liggen er ook op grote schappen. Kazen van een meter doorsnee. De grootste worsten ter wereld maken ook indruk. Meters lang.

Dan rekenen we af en nemen nog een lekkere fles mee uit de kelder.

We gaan terug naar Caldonazzo. Uitkijken geblazen. De weg is levens gevaarlijk. Vooral terug. Gelukkig geen tegenliggers.

We komen thuis.

Rita biedt ons aan, de volgende dag hun fles rode wijn te komen proeven. Dat doen we. Bij de barbecue. De fles heeft wel wat liggen schudden onderweg.

De bubbeltjes onder de kurk willen uit de fles.

De kurk vliegt tientallen meters de lucht in. De wijn ook. Het leek wel een eruptie van de Vesuvius. Caldonazzo rood gekleurd, althans de tent.

'Hadden we wel een rode tent uitgekozen?'

Rita was nog wat doezelig van de avond tevoren.

'Weet je, ik had een droom vannacht.'

'Ik droomde dat er een band in de muur speelde.'

Ik vertelde Rita dat dromen wel eens niet waar zijn, maar soms ook wel.

4

Ospite molto strano

'Kun je me komen helpen?', vroeg Joris aan me. Het was in de laatste week voor de vakantie. Het biologielokaal was een grote puinhoop. Er was geen doorkomen aan. Om dat in je eentje te moeten opruimen: a hell of a job.

'Natuurlijk kan ik je helpen Joris, dat lijkt me vanzelfsprekend.'

Op het moment dat ik kwam was er nog één helper, maar die kon niet lang blijven.

'Alles moet naar een andere locatie, dat betekent dat het hele instrumentarium in mijn auto vervoerd moet worden!', zei Joris.

'Dat betekent flink aanpoten', zei ik.

Gelukkig hadden we wel een wagentje tot onze beschikking waar we aardig wat op kwijt konden, zodat we niet alles onder onze armen hoefden te nemen, van het praktijklokaal naar de auto. Niettemin was het een heidens karwei, waar op zijn minst een hele middag in zou gaan zitten. Maar we vermanden ons en besloten de klus die middag te klaren.

Joris was een markante man. Een stem als een kanon. Hij had een fors voorkomen. Zijn gezicht was vuurrood. Karakter kon je hem niet ontzeggen, al was het een karakter dat niet de waardering had van iedereen. Hij was geen groepsdier, integendeel, hij was een pure individualist. Hij trok zich van niemand iets aan. Een man waar moeilijk mee samen te leven viel. Niettemin was hij zeer sympathiek. Zijn het niet de zonderlingen die de grauwe massa een beetje kleur geven? Joris was er zo een. Het deerde hem niet wat men van hem zei. Hij had een bepaalde manier van werken. Zo wilde hij dat en niet anders. Waarschijnlijk kon hij ook niet anders. Briljante ideeën, maar ze passen vaak niet in het stijve korset waarin men gedwongen wordt. Zeker niet in het korset van de ambtenaar, want dat is een wurgconcept. Niet iedereen past daar in, het laat geen ruimte open voor de individualist.

Alles moest gelijk, lessen van A tot Z gepland, tot in het kleinste detail voorgeschreven.

Ik kreeg dikwijls het gevoel in een land te wonen waar een totalitair regime de dienst uitmaakte. Je mocht openlijk je mening laten horen, maar het werd stiekem afgestraft.

Braaf zijn, meelopen, in de pas. Angstige gevoelens bekropen me.

Jaren later stond er een persoon op die boven het maaiveld uitstak. Met iedereen in de politiek veegde hij de vloer aan. Een man met een groot natuurlijk charisma. Zeer welbespraakt. Iedereen werd klem gezet door zijn vlotheid, humor, en intelligente manier van debatteren: Fortuyn. Hij werd verafgood en verguisd, maar persoonlijkheid had hij. Zo stralend was hij aanwezig, dat men een beetje bang voor hem was. Een man met een uitstraling die men zelden tegen komt. Ook zo'n individualist, die dermate boven het maaiveld uitstak, dat men er absoluut geen raad mee wist. Zulke extremen, daar is men bang voor. Die moeten weggemoffeld worden.

Iedereen viel over hem heen: uit angst voor hun eigen ondergang. Maar men kon zich toch niet zo maar laten inpakken door zo'n nieuwkomer? Dus begon men de man in het wilde weg, volkomen ongefundeerd te beschimpen: men hoorde de Duitse laarzen weer, xenofobische gevoelens werden aangewakkerd. Pure angst heerste er, dat het oude vertrouwde systeem zijn ondergang tegemoet ging. Vaak dacht ik er over na: je mag zeggen wat je wil, maar als je het te gek maakt, dan volgt de afrekening.

Deze gedachten bekropen me later weer bij de intree van een nieuw onderwijssysteem. Het was een systeem zonder kwaliteit, het kon het daglicht niet verdragen. Het was de laatste doodsteek aan de individualiteit. Er was geen plaats meer voor de grote verteller.

Voor geniale invallen was geen ruimte meer, alles was immers van A tot Z gepland!

Het begon me steeds meer duidelijk te worden. Een regime dat een fout systeem doordrukt met geweld, duldt geen kritiek. Dissidentie moet onderdrukt worden. Het was de angst die regeerde. Wie tegensprak werd verpletterd onder de laarzen. Leg geen vinger op een zere plek, want er zijn alleen maar zere plekken.

Joris was zo'n individualist, te opvallend. Ondanks zijn grote persoonlijkheid en goede ideeën een rotte appel in de mand. Ik had empathie voor hem, voor hetgeen hij was, misschien wel voor hetgeen hij niet was. Sommige mensen zijn niet geboren om op de paden te lopen. Liever lopen ze er net naast. Vaak niet eens om bewust obstructie te plegen, maar omdat het gewoon hun karaktereigenschap is.

'Waarom ben je zo extreem in je individualisme?', vroeg ik hem. 'Daar maak je geen vrienden mee.'

'Ik heb geen behoefte aan vrienden', zei hij tegen me. Bovendien weet ik als geen ander wat ik voor deze kinderen moet betekenen. Je moet bij hun belevingswereld blijven. De stof die ze aangeboden wordt zegt ze helemaal niets! En als hun petje scheef staat, dan kun je de les wel vergeten. Je moet dan inspelen op hun gemoedstoestand. Dus ik doe, waarvan ik denk dat het goed is voor de kinderen.'

'Ik geef je volledig gelijk Joris', zei ik. 'Jij werkt vanuit je hart. Niet iedereen zal je dat in dank afnemen. Eigenlijk denk ik er net zo over als jij. Een of andere minister die veertig jaar geleden regeerde meende toen al, dat ieder mens een intellectueel moest worden. Dus werd alle praktijk bijna overboord gegooid en moesten alle leerlingen, die graag met hun handen werken ineens volgepompt worden met theorie. De doodsteek aan de handwerkslieden. In die tijd waren er veel stromingen die dachten dat erfelijkheid geen rol speelde in je leervermogen, maar dat je alles te danken had aan je omgeving. Volgens die theorie kon iedereen even goed leren. Absurd gewoon. Tientallen jaren hebben we tienduizenden kinderen dood ongelukkig gemaakt door ze aan te spreken op hun onvermogen. Hun beste capaciteit: inzicht in de wijze waarop zaken in elkaar zitten, liet men volkomen links liggen. Al die tijd hebben we ze lastig gevallen, ze verdrietig gemaakt, omdat ze dingen moesten doen, die ze niet konden. Hun hele kindertijd, die toch eigenlijk zorgeloos moet verlopen, hebben we ze vol gegoten met gif. Een gefrustreerde massa hebben we gekweekt. Is het gek, dat veel van die gefrustreerde lieden hun onmacht afreageren op voetbalvelden of bushokjes, of op leraren? Wat zou er gebeuren als we intellectuelen afpakten waar ze goed in zijn: studeren. Wat zou er dan gebeuren?

Puur gif is het, wat we erin gegoten hebben. We konden ze pas blij maken als ze aan een brommertje konden prutsen of aan een oude auto.'

'Daar heb je helemaal gelijk in', zei Joris. 'Daarom doe ik ook bijna niet aan theorie. Geef ze iets in handen uit de natuur en ze zijn gelukkig.'

'Hoe gaat het overigens met je gezondheid Joris?', want je bent toch een tijd uit de roulatie geweest?'

'Klopt, ik heb een behoorlijke hartaanval gehad en ik ben weer een beetje aan het herstellen.'

'Lijkt me lastig om met zo'n kwaal je werk nog naar behoren te doen of niet?'

'Ja, ik ben nogal gauw moe.'

'Heeft je vrouw geen moeite met je al te grote individualisme Joris? Trek je je van haar ook niets aan? Hoe zit dat?'

'Niet veel. Jarenlang heb ik netjes naast haar gelegen in bed, maar daar had ik op een gegeven moment genoeg van. Tegenwoordig slaap ik meestal in de tuin, als het tenminste niet regent of vriest. Dan val ik tenminste niemand lastig. Bovendien snurk ik nogal hevig. Daar heeft ze dan ook geen last meer van.'

Lang zal ze geen last meer van me hebben,want ik ga van d'r af, op mezelf wonen.

'Nou maak je grapjes Joris!'

'Geloof me maar, het is echt zo!'

'Oké, ik neem het aan, maar bizar is het wel.'

'Zou je ondanks alles wel weer aan een vrouw beginnen?'

'Ja zeker, ik sta er niet afkerig tegenover, maar er zijn er maar weinig die bij me passen.'

'Dat geloof ik onmiddellijk Joris, maar ook Einzelgängers hebben behoefte aan een schouder.'

'Dat heb je goed begrepen!'

'Misschien heb ik er wel eentje voor je.'

'Nou vertel, ik ben benieuwd!'

'Het is een vrouw die gescheiden is met een dochter en een zoon. Deze zomer bezoekt ze ons in Italië. Dat is wel een heel eind uit de buurt he?'

'Geef het adres maar, dan zie je me daar over twee weken.'

Ik gaf hem het adres: Caldonazzo aan het Lago di Caldonazzo, camping Al Pescatore.

Dat doet hij toch niet was mijn gedachte. Wie gaat er nou elfhonderd kilometer rijden voor een 'blind date', terwijl je van tevoren weet dat zoiets gedoemd is te mislukken?

'Nou, arrivederci dan maar!'

Met veel innerlijke pret verliet ik het practicumlokaal. Ik wist dat Joris tot vreemde dingen in staat was, maar dit kon ik niet geloven.

We waren al een week in Caldonazzo. Met een klein groepje zaten we aan de wijn, nadat we er die middag op uit getrokken waren: de bergen in.

De vreemde gast hadden we al lang uit ons hoofd gezet, maar we hadden er wel leedvermaak om: de gedachte alleen al, dat iemand een 'blind' date zou nakomen en daar tweeduizend kilometer voor zou afleggen.

Op het moment dat we veel plezier beleefden aan dit onderwerp werd onze conversatie verstoord door brallende, luidruchtige mannen, die over het pad in onze richting kwamen.

'Daar komt hij aan!', zei ik tegen de anderen. De vrouw die deel uitmaakte van de blind date was er ook bij.

'Hallo collega van me! Hoe is het!'

'Goed Joris, leuk dat je gekomen bent! Kon je het vinden?'

'Nee, ik kon het niet vinden. Ik was het adres kwijt geraakt.'

'Ik had ook niet anders verwacht Joris, toen ik zag dat het papier met het adres er op als een vodje in je zak gestopt werd.'

'Ik wist nog wel dat het in Caldonazzo was, dus heb ik het er maar op gewaagd. We zijn trouwens over Frankrijk gereden, want ik heb eerst nog een week in mijn Franse huis door gebracht.'

'En wie heb je mee genomen?'

'Dit is mijn neefje uit Geleen.'

'Maar hoe heb je ons dan kunnen vinden Joris? Hier langs het meer zijn wel zes campings!'

'Dat zal ik je vertellen. De eerste camping die we aandeden, geheel op de bonnefooi, was camping Mario. 'Die Mario', die ken je toch wel?'

'Ja, die ken ik wel. Dat is hiernaast.'

'De campingbaas vertelde me dat jij niet ingeschreven stond op zijn camping, maar op Pescatore.'

'Dat lijkt me nogal onwaarschijnlijk', zei ik, 'dat hij mij kent.'

'En toen ben ik hierheen gekomen. Hier kenden ze je wel.'

'Klopt', zei ik. Iedereen kent me hier.'

'Jullie waren er alleen niet, zei Joris, en toen zijn we naar het restaurant gegaan aan het strand en hebben daar een paar biertjes gedronken.'

'Dat ruik ik Joris en voordat we het roken hadden we het ook al gehoord.'

'Vervolgens zijn we het strand afgelopen om te zien of we jullie konden vinden.'

'Ik zal je even voorstellen: dit is mijn vrouw en dat is haar zuster Anna.'

Joris keek Anna doordringend aan om te bepalen of hij voor niets elfhonderd kilometer had af gelegd.

'Ga zitten en neem een glas wijn', zei ik.

Tot in de verre omgeving kon men mee genieten van de nadrukkelijke aanwezigheid van Joris. Het was onmogelijk hem te passeren zonder hem op te merken. Van enige terughoudendheid was geen sprake.

'Heb je een tent meegenomen Joris?'

'Een tent? Waarom zou ik een tent meenemen? Ik slaap in de buitenlucht! Dertig jaar lang is me de plaats aangewezen waar ik moet slapen. Die tijd is voorbij. Ik slaap lekker buiten!'

'Wil je niet liever in de voortent slapen met je neef?'

'Absoluut niet!'

'En als het gaat regenen?'

'Dan kan ik altijd nog naar binnen gaan.'

Joris sliep die nacht in de open lucht. Hoewel het zelden regent daar, had Joris die nacht geen geluk.

's Ochtends werden we wakker van een geweldig gesnurk. Ik opende de deur van de caravan, opende de rits van de voortent en zag dat het behoorlijk geregend had.

Daar lag hij: snurkend en rochelend. De slaapzak was doorweekt. Het deerde hem niet.

Ik moest behoorlijk schudden om hem wakker te krijgen.

Zouden de buren wel goed hebben kunnen slapen? Ik vreesde van niet. Waarschijnlijk hadden ze het gevoel dat er een beer naast hun tent lag, zo'n zware brom veroorzaakte Joris.

'En Joris, goed geslapen?'

'Fantastisch', zei hij.

'Heb je geen last gehad van de kou?', want je bent behoorlijk nat geworden.

'Ik heb nergens last van, ik slaap overal doorheen. Dit is pas vrijheid!'

'Dat klopt Joris: we kunnen pas van vrijheid spreken als die vrijheid zover gaat dat je er een ander niet mee lastig valt.'

'Val ik daar dan iemand mee lastig?'

'Het zou kunnen dat sommige mensen om ons heen zich wat ongemakkelijk voelen, als ze een drijfnatte, snurkende man naast hun tent zien liggen.'

'Er zijn er wel meer die snurken op de camping, sommige zelfs dwars door de wanden van een caravan heen.'

'Dat is waar', zei ik.

'Kom, ga je lekker verfrissen onder de douche. Ik ga warme "panini" halen.'

Even later zaten we met zijn allen in de stralende zon te genieten van de warme broodjes.

Ik stelde voor een wandeling in de bergen te gaan maken. Het hele gezelschap vond het een prima idee.

Met twee auto's reden we de Pannarotta op, een berg met een top van tweeduizend meter. Op achttien honderd meter konden we de auto kwijt op een parkeerplaats.

Tweehonderd hoogtemeters moesten we dus zien te overwinnen. Op die hoogte is het duidelijk koeler dan beneden. De lucht is echter veel ijler. Voor een gezond mens zal dat geen probleem opleveren, maar als je conditie niet geweldig is of je hebt een probleem aan je hart, dan wordt het een moeilijke toer.

Het hele gezelschap wandelde berg op. Men genoot van het fenomenale uitzicht.

Ik keek achterom en zag dat Joris achter gebleven was. Ik liep naar hem toe:

'Is er iets?' Hij hijgde heel zwaar.

'Even uitrusten, ik krijg te weinig lucht.'

'We zijn bijna bij de top, zal dat lukken denk je?'

'Dat zal wel gaan, denk ik.'

We kwamen aan bij de top. Gelukkig was de afdaling minder zwaar.

Ik realiseerde me dat ik een behoorlijke fout had gemaakt: met een hartpatiënt een zware beklimming doen in het hooggebergte. Waarschijnlijk had ik me laten misleiden door de verhalen die Joris me verteld had over zijn vroegere sportprestaties. Hij had een bevoegdheid voor gymnastiekleraar gehaald.

Maar dat was al wat jaren geleden.

De afdaling ging zonder problemen. Ik bleef dicht bij Joris om hem in de gaten te houden. Nauwlettend volgde ik zijn ademhaling. Het ging gelukkig goed.

Toen we weer terug waren op de camping stelde Joris voor om 's avonds uit eten te gaan met het hele gezelschap.

'Ik weet een prima gelegenheid Joris. We hebben al eens vaker gasten gehad, die we hebben mee genomen naar Crucolo. Daar is een 'Rifugio' hoog in de bergen. Het is er altijd feest. Vanuit de verre omgeving komt men daar. Onvoorstelbaar, op een plek waar geen sterveling woont.

'Oké, dat doen we, ik betaal', zei Joris.

'Mogen de kinderen ook mee? Het is wel een hele club hoor!'

'Natuurlijk, dat maakt me niets uit.'

'Je bent wel heel genereus Joris, mag ik geen bijdrage leveren?'

'Nee, absoluut niet. Geld interesseert me geen bal.'

'Nou, prima dan, als jij dat wilt, dan doen we dat.'

'Loop je even met me mee naar de auto?', want mijn portefeuille ligt daar nog met mijn paspoort, pasjes en ik heb er ook nog eten liggen voor onderweg!'

Joris opende de kofferbak. Het was er één grote rotzooi. Kleren waren er allemaal los in gegooid. Een tas of koffer waren niet te bekennen. Werkelijk alles was er los in gesmeten. Ik wist niet wat ik zag.

'Lekker overzichtelijk zo Joris', zei ik.

'Ik ben een beetje slordig.'

'Dat zie ik, gelukkig maar een beetje.'

Hij rommelde wat tussen onderbroeken, sokken, T-shirts…

'Aah!', hier hebben we nog een lekker stuk leverworst!'

'Lijkt me niet gezond om dat nog op te eten. Het heeft twee dagen in de kofferbak gelegen en daar kan het wel vijftig graden worden', zei ik. 'Daar ga je dood aan.'

'Zal ik je eens wat vertellen?'

'Nou?'

'Ik heb een huis in Frankrijk. Achter het huis loopt een beekje. Een boer die een eindje verder woont gooit daar gewoon zijn dode schapen in en soms ook wel een hond. Die liggen daar gewoon weg te rotten.'

'En?', zei ik.

'Dat water drink ik gewoon!'

'Hoe kun je dat nou in godsnaam doen? Je weet toch wel als bioloog dat het zeer gevaarlijk is om bedorven vlees te eten?'

'Ach, ze zeggen zo veel. Mensen kunnen nergens meer tegen tegenwoordig. Er gaan juist meer mensen dood omdat ze niet meer in aanraking komen met bacteriën. We zijn veel te schoon. We zijn zo hygiënisch dat we dood gaan aan de eerste de beste bacterie die we tegenkomen.'

'Dat ben ik helemaal met je eens Joris. Het is zelfs mijn stokpaardje, maar jij maakt het wel erg bont. Een hond kan zoiets verdragen en misschien de mens van duizenden jaren geleden, toen we nog wat dichter bij de natuur stonden. Maar jij bent een modern mens!

Wij zijn niet meer gewend om tussen al die bacteriën te leven. Dat wordt onmiddellijk afgestraft.'

'Weet jij, dat mensen in Polen veel onhygiënischer leven dan wij, maar dat ze lang zo veel last niet hebben van allergieën?'

'Dat weet ik en ze hebben ook niet zo veel last van infectieziektes.'

'Dat betekent dat we dus veel te schoon leven!'

'Ik ben het roerend met je eens Joris, maar we leven in een modern land en daar accepteert men geen mensen die zich als een viezerik gedragen. Net zo goed als ik, weet jij, dat dieren seksueel aangetrokken worden door feromonen. Een penetrante zweetlucht kan ook als een feromoon werken. Maar ik kan me niet voorstellen dat een leuke dame die naast je zit, zich tot je aan getrokken voelt, terwijl jij een lucht verspreidt waar ze van om valt. Vroeger wisten ze niet beter. Napoleon was dol op zijn Josefien. Toen hij in Italië vocht schreef hij haar, en verzocht haar nadrukkelijk zich een tijdje niet te wassen want hij was gek op haar zweetlucht. Pure feromonen. Niettemin kon hij zijn viriliteit niet tot grote daden dwingen. Maar nu kun je daar niet meer mee aan komen: met een zweetlucht. Ze prefereren een parfum. Met een 'Roma Uomo' sla je geen gek figuur. Jaren geleden vond men je nog verdacht, als je als man parfum gebruikte, maar nu hoort dat bij een goede verzorging. De meeste mannen doen tegenwoordig meer aan uiterlijke verzorging dan vroeger. Het is een trend. Een 'must', afgedwongen door de mode dirigenten. Felle kleuren mogen niet meer hoor deze winter. Het moet zwart of grijs zijn. Anders tel je niet meer mee. En de massa trapt daar lekker in.'

'En doen wij mee aan al die flauwekul?'

'Nee natuurlijk niet Joris, maar daarom staan we ook een beetje buiten de groep. De mens wil meelopen in de massa. Die voelt zich ongemakkelijk als hij niet mee doet met alle trends. Die doet precies wat er van hem gevraagd wordt. Bang zijn ze om individualiteit te tonen. Zij durven niet te staan voor wat ze zijn. Eigenlijk is het heel gemakkelijk: meelopen. Niet meelopen lijkt gemakkelijk, maar het is heel moeilijk. Men praat over je, dat weet je van te voren. Maar één ding heb ik altijd goed onthouden. Het was een uitspraak van Oscar Wilde: één ding is erger dan dat men over je praat en dat is dat men niet over je praat.'

'Die moet ik onthouden', zei Joris. Eigenlijk geldt dat voor mij en misschien ook wel voor jou.'

'Dat klopt', zei ik. Maar in zekere zin moet je toch wel een beetje in de massa mee lopen. Je kunt toch geen mode van dertig jaar geleden dragen, want dan word je uitgelachen.'

'Natuurlijk niet, je moet wel een beetje met de trend mee anders word je niet serieus genomen.'

'Ik zal je eens wat vertellen Joris, om op de feromonen terug te komen.

Vroeger had ik een collega. Het was een jonge vent, niet onknap. Maar een zweetlucht dat hij bij zich had, ongelofelijk.

Hij droeg een zwart colbertje van fluweel. Onder zijn oksels zaten zweetringen. Net als jaarringen bij een boom. Werkelijk… als hij het lokaal binnenkwam, dan kon je de zweetlucht ruiken.'

'Kon hij zich dan wel handhaven voor de klas? Kinderen pikken dat toch niet?'

'Nee, massaal riepen ze: hé stinkerd.'

'Dat lijkt me logisch en heb je hem daar over aangesproken?'

'Dat heeft me heel wat zweetdruppels gekost. Ik vond het nogal een delicate kwestie.'

'Hoe heb je dat dan aan gepakt?'

'Heel voorzichtig heb ik hem gevraagd of hij geen last kreeg met leerlingen vanaf het moment dat hij binnen kwam.'

'Wat zei hij toen?'

'Dat ze hem een stinkerd noemden.'

'En verder?'

'Toen vroeg ik hem of hij dat niet vervelend vond.'

'Dat zal toch zeker wel?'

'Natuurlijk vond hij dat vervelend, want hij kreeg er ordeproblemen door.'

'Dat kan ik me wel voorstellen.'

'Hij probeerde zich er nog wat uit te kletsen door te zeggen, dat hij deodorant onnatuurlijk vond en dat om die reden niet gebruikte.'

'En hoe reageerde jij toen?'

'Ik zei, dat ik het een nobel streven vond van hem, maar dat dat alleen maar kon werken als hij zijn jasje af en toe een stoombeurt zou geven. Gelukkig werd hij niet boos op me en zag hij in, dat hij me gelijk moest geven. Trouwens, we zitten hier al een half uur te debatteren bij de auto en we zouden maar vijf minuten weg blijven. Je leverworst begint ondertussen te koken. Gooi die maar in de vuilnisbak daar!'

'Ben je gek! Eten gooi ik nooit weg!'

Vervolgens stopte Joris het hele stuk leverworst in zijn mond.

'Dat betekent dat we vanavond niet uit eten gaan, maar dat ik met je mee moet naar het ziekenhuis', zei ik.'

'Als ik niet ziek word, dan krijg ik een fles wijn van je, afgesproken?'

'Mij best.'

Joris ging in de ongelofelijke rotzooi op zoek naar zijn papieren. Toen hij het nergens kon vinden gooide hij één voor één alle zaken op de grond. De kofferbak was leeg: geen paspoort, geen rijbewijs en geen portefeuille.

'Verdomme, hoe is dat nou toch mogelijk!'

'In je dashboardkastje misschien, of onder je stoel?'

'Ik weet het! Ik heb het in Frankrijk laten liggen, bij de bank!'

'Dat wordt lastig bij de grens, hoewel, zo streng zijn ze niet meer tegenwoordig', zei ik.

'Ik waag het er maar op. Het geld voor het eten leen ik wel van mijn neefje.'

'Kom Joris, ik denk dat ze allemaal al klaar staan om uit eten te gaan. We moeten nog wel een kilometer of dertig rijden.

We kwamen aan in Crucolo, een plek om nooit te vergeten.

'Hier is het dus?'

'Ja, hier is het. Is het geen mooie plek?'

'Een fenomenale natuur en wat een schitterende route hier naar toe!'

'Ik ben hier al met zo veel mensen geweest Joris, maar ik blijf het leuk vinden. Kijk eens hoeveel volk hier komt. Ze komen overal vandaan om hier te gaan eten. Het lijkt wel of dit de enige plek ter wereld is waar je eten kunt en dat zo ver van huis!'

We kregen een tafel toegewezen en bestelden zoals gebruikelijk: zuurkool, polenta, karbonades, konijn, worstjes, kippenbouten en een salade. Het deed meer Oostenrijks of Duits aan dan Italiaans. Grote hoeveelheden, maar lekker.

Verwonderlijk was het niet want we zaten immers in Tirol, het gebied dat voor de Eerste Wereldoorlog Oostenrijk toe behoorde.

De wijn die we bij het eten kregen was een muskaatwijn: koud en prikkelend. Het smaakte heerlijk bij dat eten.

Joris voerde het hoogste woord. Kennelijk was hij de sores van de middag vergeten.

'Ik houd niet zo van Italianen', zei Joris tegen mij.

'Waarom houd jij daar niet van?', vroeg ik hem.

'Dat weet ik niet, gewoon gevoel.'

'Ben je al eens in Italië geweest dan?'

'Nee nooit.'

'Hoe kun je dat dan zeggen?'

'Ze staan me gewoon niet aan.'

'Dievenvolk misschien of maffia?'

'Zoiets ja.'

'Joris, de maffia heeft het in ieder geval niet op toeristen voorzien en bovendien hebben we in Nederland een even grote maffia als in Italië! Wordt er niet iedere maand iemand afgerekend uit het criminele circuit?'

'Dat kan wel zijn, maar ik blijf erbij…'

Een paar Italianen kijken onze kant uit. Ze zijn misschien verrast door de te grote luidruchtigheid.

Joris kijkt op zijn beurt hun kant uit en heeft behoefte om ze te treiteren.

Hij steekt zijn duim omlaag naar de Italianen en roept: AC Milan, Inter Milan, Juventus! Shit!

De Italianen schieten met zijn allen in de lach. Ze hebben er weinig behoefte aan om de zaak op scherp te zetten. Ze steken de duimen omhoog en gebaren dat die clubs heel 'buono' zijn.

'Del Piero, Baresi shit', schreeuwt Joris.

De Italianen krijgen steeds meer plezier en zien wel dat de druktemaker al wat glaasjes op heeft. Ze blijven sportief en gooien het over een andere boeg. Allemaal steken ze de duim omhoog en schreeuwen: 'Gullit (Goeliet), Van Basten, Rijkaard! Buono!'

Joris heeft in de gaten dat de Italianen op deze plek niet kwaad te krijgen zijn, begint te lachen en vraagt of ze er bij komen zitten. Dat doen ze. Dan worden de voetballers en hun clubs nog eens door genomen, maar op een wat serieuzere manier. Joris begint bij te draaien en legt zelfs zijn arm om hun schouders heen. Het grote feest is echt begonnen. Hier blijkt sport te verbroederen, dankzij de Italianen. Zij kunnen niet meer stuk bij Joris.

Als iedereen voldaan is moet de 'parampampoli' het feest helemaal compleet maken.

De 'Olandesi' en de 'Italiani' gaan uit elkaar als 'amici'.

Op de valreep vraag ik Joris nog wat hij vindt van hetgeen waarvoor hij gekomen was: Anna!

'Het is een mooie vrouw. Ze heeft een goed figuur. Ze is sympathiek. Maar ik vind haar nogal nerveus. Wat dat betreft is het mijn type niet zo.'

'Ben je dan voor niets zo ver gereden Joris?'

'Ben je gek! Het was hartstikke gezellig! Deze dagen vergeet ik nooit meer.'

Joris ging weer naar huis, over Frankrijk, om te zien of zijn papieren nog bij de bank lagen. Hij had geluk. En... o ja, ik was hem nog een fles wijn verschuldigd.

5

Il dentista

We hadden heerlijk gegeten, 's avonds laat, tutto 'in modo Italiano': spaghetti, insalata mista, carne maccinata (gehakt), nogal basic, maar passend bij de sfeer.

Een fles mousserende wijn erbij om het geheel te vervolmaken. De wijn die we dronken werd door de Italiaan minachtend bekeken: non è vino, è arranciata. (dat is geen wijn, maar limonade) Zo dronken we dat ook. Heerlijke bubbeltjeswijn, koud, geweldig om lekker door te drinken. Het was voldoende voor een eenvoudige campinggast.

's Nachts werd de straf uitgedeeld voor je voordeligheid: je verhemelte had behoefte aan een semipermeabele slang, doorlaatbaar voor water. 't Liefst moest hij de hele nacht doordruppelen.

Trachten een woord uit te brengen was onmogelijk, de mond was verworden tot een droge kurk, die niet meer uit de fles wilde, zonder te breken. Un desastro.

Wat zullen ze van ons gedacht hebben, de Italianen: sono generosi gli Olandesi, ma in modo cattivo. (ze zijn genereus, de Hollanders, maar op een slechte manier).

Na het eten bezochten we vaak de bar (type kiosk) op de camping, om te kijken of er ook wijnen in de aanbieding waren, die een minder cattivo aanslag pleegden op je tong.

De kiosk werd druk bezocht. Velen dronken er staande wijn, een Italiaanse gewoonte, die we in Nederland niet kennen. Staande consumeren is daar veel goedkoper.

Drink je staande aan de bar, dan ben je het voordeligst uit.

Ga je er bij zitten, dan betaal je meer. Hetzelfde gedrag, maar dan op het terras, is het slechtst voor je beurs.

Over het algemeen maakt men dit onderscheid op campings niet zozeer, maar in horecagelegenheden in het algemeen zeer zeker. Het is maar een weetje voor de toerist.

Uren kon ik er mee bezig zijn, nippend aan de wijn: het gedrag van mensen observeren.

Iedere beweging diep in me opnemend, lettend op ieder detail.

Mijn blik bleef wel eens te lang vastkleven aan een persoon. Als de bewuste persoon zich betrapt voelde, misschien wel geraakt door mijn blik en vervolgens plotseling een blik terugwierp, dan voelde ik een kort moment van schaamte en trachtte ik zo vlug mogelijk langs de persoon heen te kijken. Nogal onschuldig voyeurisme.

Ik kreeg het gevoel dat de persoon zich bestolen voelde, dat ik zijn of haar integriteit aantastte. En dat terwijl ik me toch op discrete afstand bevond, maar waarschijnlijk toch te dicht bij gekomen was.

De momentopname gaf me veel informatie. Enkele seconden waren genoeg voor me om de persoon uit te tekenen. Dik of dun haar, een hoektand die miste, een niet symmetrisch gelaat, een spleetje tussen de voortanden, een sproet hier of daar.

Waarom zag ik in godsnaam al die onbenulligheden, ik was er immers helemaal niet op uit om alles te ontdekken?

'Kijk niet zo', zei een intimo wel eens tegen me. 'Je kijkt te lang!'

'Weet ik', was mijn antwoord, 'gaat vanzelf.'

Ik voelde me dan net een container die op straat stond, waar een lopende band op uit kwam, waar het grind in gegooid werd, dat van het platte dak van een huis kwam, en op het moment dat ik vol zat, en dat uitriep, liep de band door. Onmachtig was ik op tijd de verbinding te verbreken.

Al die belachelijke gegevens die ik opgeslagen had in mijn hoofd. Wat moest ik ermee?

Een stuk van de werkelijkheid, te veel uitvergroot, lastig, maar misschien zou het me nog eens van pas komen.

Volop genietend van een 'vino bianco' kwam er een 'typetje' langs. Daar deed ik het voor: de typetjes.

Het zou verplicht in iedere studie psychologie moeten zitten: dagelijks twee uren terrasbezoek om het menselijk gedrag te doorgronden.

Hij had een kapiteinspet op en wandelde traag naar de bar om een glas wijn te bestellen.

Voor zover mijn inschattingsvermogen het toeliet taxeerde ik hem op het niveau van een handarbeider. Hij was klein van stuk, beetje armoedig, zou regelrecht uit de Napolitaanse sloppenwijken kunnen komen. Enkele meters achter hem volgde zijn echtgenote zo te zien. Ravenzwarte haren en een stem, waar een juffrouw van de vismarkt jaloers op kon zijn. Haar stem was schor, kapot geschreeuwd:

'Bernardo, dammi un vino bianco!' (Bernardo, geef me een witte wijn!)

Het geluid ging dwars door je trommelvliezen heen.

We keken elkaar aan en dachten hetzelfde: 't zullen je buren maar zijn. Niet helemaal 'ons soort mensen', zoals men dat tegenwoordig zegt. Ik kon het niet nalaten hem aan te spreken: eens kijken of mijn inschatting juist was.

Dat is nogal een moeilijk punt: inschatten.

Iemand van je eigen volk inschatten lukt meestal wel, maar van een ander volk ligt dat wat gecompliceerder. Kleding vertelt het een en ander, zeker als het om bepaalde merken gaat. Ook houding is veelzeggend, is afleesbaar. Zodra iemand zijn mond open doet dan verraadt hij zich. Zijn afkomst valt bijna niet meer te ontkennen, in ieder geval geeft hij iets prijs over zijn ontwikkelingsniveau.

Spannend kunnen die observaties zijn, zeker als blijkt dat je er helemaal naast zit.

'Buona sera capitano, le piace il vino?' ('Goedenmiddag kapitein, bevalt de wijn u?)

'Si, chi è?' (Ja, wie bent u?')

'Mi chiamo Jaap, e questa è mia moglie.' (Ik heet Jaap en dit is mijn vrouw)

'Mi chiamo Bernardo e questa donna è mia moglie Valeria. Sono dentista e lei?' ('Ik heet Bernardo en dit is mijn vrouw Valeria, ik ben tandarts en u?')

'Sono insegnante.' ('Ik ben leraar.')

'Bravo signore!'

Bernardo vertelde dat hij uit een arme familie kwam, dat hij als fabrieksarbeider begonnen was, en op zeker moment tandtechniek was gaan studeren.

In die tijd mocht je daarmee tandartsenij bedrijven. Hij had een klein bedrijfje, waar hij als tandarts werkte en naast hem werkte een orthodontist in dienst van hem.

Mijn ogen rolden bijna uit mijn oogkassen toen ik dat hoorde: een orthodontist die in dienst van hem werkte en dat tegen een vast salaris. Verder had hij ook nog een tandtechnieker in dienst en enkele assistentes. 'Incredibile'. Wat had ik dat kleine mannetje onderschat. Ongelofelijk, wat een kunst om door zo'n kapiteinspet heen te kijken.

Dan Valeria, met de stem van een oude hond, daar wist ik helemaal geen raad mee.

De hele dag hoorde je haar stem overal bovenuit. Niet bepaald het toppunt van beschaving. De representante van de Fellinifilm: hard geschreeuw en vooral schor.

We hadden onze indruk toch een beetje moeten bijstellen, maar chique waren ze niet.

Respect dwongen ze wel af, heel veel.

Bemoeienis hebben we niet meer gehad met het stel die zomer, wij stonden in een andere hoek.

Een jaar later:

We gingen weer naar de plek, de plek van ons hart, de plek van 'Il Capitano'.

Aangezien we een grote hond hadden meegenomen, een

'Terra Nova', een hond met het voorkomen van een beer, met een dikke vacht, waren we verplicht een plek in de schaduw te zoeken.

We kregen de meest beschaduwde plek van de camping, onder enkele donkere sparren.

Ze lieten geen vleugje zonlicht door. Daar zou l'Orso, zoals de Italianen hem noemden, het wel kunnen uithouden.

We stalden alles uit en vergrepen ons aan een verkoelende drank.

'O nee', zei mijn 'amore', 'kijk eens waar we tegenover staan!'

We hadden de eerste slok nog niet genomen of er werd al gewenkt: 'Venite qua, abbiamo da bere qualcosa!' ('Kom hier, we hebben wat te drinken.')

'Ik heb geen behoefte aan die lui', zei mijn amore. 'Als je daar aan begint kom je er niet meer vanaf!'

'Dat kun je niet maken', zei ik. 'Kijk eens wat er allemaal om je heen staat!'

Links, rechts, achter en voor ons, stonden Italianen. En dat niet alleen, het waren ook nog vrienden van elkaar.

'Je hebt meteen het hele zaakje tegen je, in ieder geval maak je er geen vrienden mee', zei ik.

We stapten naar de overkant van het pad, schudden elkaar de hand en net aangekomen, was het glas reeds gevuld. Zo, dat was nog eens een binnenkomer. Aangekomen en opgenomen 'nel centro della canaglia', (in het centrum van het plebs) zoals ik ze later, toen ik ze wat beter kende zou noemen.

Uiteraard een gevaarlijke opmerking, maar je kunt het je permitteren als je merkt dat ze je sympathiek vinden en dat je je volledig thuis voelt bij hen. Ze konden er dan ook hartelijk om lachen, immers, ik!... vormde het centrum van het plebs.

Een hond hadden ze ook: een Yorkshire Terrier, ongeveer het kleinste ras. Hij was het contrast van de onze. De verhouding was plus minus één op zeventig.

Flu Flu moest onmiddellijk een kunstje laten zien: terwijl hij eten kreeg probeerde het baasje de voerbak aan te raken. Flu

Flu strafte dat keihard af: het baasje had een kilo vlees aan zijn vinger hangen. Een tegenstander waar niet mee te spotten viel.

Het zou een onvergetelijke vakantie worden van dagelijkse ontmoetingen met Italianen.

Voor het eerst geen ontsnappingskansen, maar meedoen met alles wat ze in de aanbieding hadden. In dat laatste werden we niet teleurgesteld, het was iedere dag raak.

Er ging geen dag voorbij of we namen deel aan een spaghettifeest, een barbecue, een bezoek aan hun huis of een dag op pad met de hele club.

Bij de 'dentista' was het altijd feest, de hele familie kon altijd aanschuiven, uitgenodigd of niet. In de voortent was een complete keuken ingericht met twee grote koelkasten.

Voorraad was er genoeg voor ongenode gasten. Af en toe gingen ze naar Trento terug om hun voorraden aan te vullen.

Zelden zaten ze alleen. Waren het niet hun kinderen, getrouwd met aanhang en kleinkinderen, dan waren het wel 'amici' uit Trento, of lui die ze andere jaren hadden leren kennen op de camping, of de vrienden om hen heen. Het kon niet op.

De gastvrijheid kende geen grenzen en zijn portemonnaie kennelijk ook niet.

Bernardo vertelde me dan ook dat het beroep van 'dentista' in Italië een beroep was met veel aanzien. Dat kwam onder andere door het gunstige belastingklimaat daar.

Heel lang hoefde men daar maar weinig 'tasse' af te dragen aan de overheid. De staat kwam echter in de problemen en begon dat klimaat te verslechteren. Goud had hij verdiend.

En dan had hij nog niet eens beroemdheden als patiënt.

Het was de kunst om 'Gullit', 'Rijkaard', of 'Van Basten', of anders een filmster in je praktijk te krijgen, iemand van RAI-UNO was ook best. Dan was je binnen.

Eén zo'n klant en je hele praktijk liep vol. 'Vastgestelde prijzen zoals in Nederland?'

'In Italië kun je vragen wat je wilt aan een beroemdheid', zei Bernardo.

'Voor jou is het een hele eer om een beroemdheid te hebben als patiënt, maar als je eenmaal 'una affermata donna' (een vrouw die het gemaakt heeft) in je praktijk had, dan was het voor nummer twee ook een eer om jou als tandarts te hebben. Je kostje was gekocht. Ik zoog deze kost op. Wat heerlijk om daar naar te luisteren. Het land waar nog de nodige corruptie was, oogluikend toegestaan. Maar lang zou het niet meer duren:

'Erano tempi', (Dat waren nog eens tijden.)

Het schoonmoederthema, net als bij ons populair, kwam ook aan de orde. In Italië ligt dat nog gevoeliger dan in Holland, immers de familiebanden zijn daar veel sterker dan bij ons. De verplichtingen zijn groter.

Valeria vertelde me, dat haar twee zonen iedere dag nog kwamen ontbijten bij haar.

'Levert dat geen problemen op met je schoondochters?', vroeg ik haar.

'Het lijkt dan net of ze het bij 'mamma' beter hebben dan bij hun eigen vrouw!'

'Zo gaat het nou eenmaal hier', zei ze. 'Ik speel niet de baas, mijn jongens vinden dat gewoon fijn.'

Ze bleven dichtbij hun kinderen staan, onvoorwaardelijk, niet om een wig te drijven, maar los daarvan.

De landsaard begon me steeds meer duidelijk te worden. De vader gedroeg zich ook niet meer als de 'pater familias'. Dat was nog wel zo bij hun oudergeneratie.

Van de vrienden om hen heen op de camping was er één bijzonder stel. Uit Venetië kwamen ze: Gigi en Anna. Hij was net zo dun als zij dik. Vriendelijk en nog eens vriendelijk. Gigi zag er zeer armoedig uit. Zijn kapsel was onverzorgd, de haren te lang in zijn nek, zijn tanden waren helemaal verrot.

'Gigi, waarom ga je niet eens langs bij Bernardo?', vroeg ik hem. 'Zo wil je er toch niet bijlopen?'

'Ik heb een radeloze angst voor de tandarts', zei hij. 'Ik durf niet!'

'Maar op deze manier krijg je het aan je hart, wist je dat?'

'No, non lo sapevo.' (Nee dat wist ik niet.)

Hij was er met geen stok heen te slaan. Zijn 'amici' hadden ook wel eens wat leedvermaak om hem. Ten eerste om het grote contrast tussen zijn 'fisico' en dat van Anna.

Gigi maakte een nogal futloze indruk. Weinig ging er van hem uit.

Als het gezellig begon te worden in een groot gezelschap dan vroeg men aan Gigi: 'Doe je het nog wel eens met Anna?'

'Eigenlijk niet', was het antwoord van Gigi. Het hele gezelschap van mannen uiteraard kwam niet meer bij van het lachen. Gigi liet het zich maar welgevallen.

'Da quando hai scopato?' ('Wanneer heb je voor het laatst de bezem er door gehaald?')

De mannen gierden het uit. Gigi moest lang nadenken.

'Dat weet je toch nog wel Gigi?'

'Dat kan ik me niet meer zo goed herinneren', zei Gigi. Het feit al dat hij er zo serieus op inging, deed de stemming aanzienlijk toenemen. De mannen lagen bijna plat over de tafel.

'Goed Gigi, ik zal je helpen je geheugen wat op te frissen.'

'Hoe oud is je jongste dochter?'

'Achttien jaar?'

'Nou, dan is dat het antwoord op onze vraag.'

Op het moment dat de mannen niet meer bijkwamen van het lachen, vroegen ze aan mij of ik de discussie had kunnen volgen.

Ik was niet in staat antwoord te geven, omdat ik net zo moest lachen als zij.

Ze hadden al begrepen dat de vraag overbodig was. 'Bravo, bravo, bravo, hai capito'. (Goed zo, je hebt alles begrepen.) Het lijkt misschien gemakkelijk om banaliteiten te begrijpen, maar dat valt niet mee in een vreemde taal. Vooral als alles ook nog eens een keer in het dialect van Trentino is.

Ook Bruno was een vaste bezoeker van de 'dentista'. Een merkwaardige vogel. Eigenlijk behoorde hij niet tot de vaste 'clan', ('la cerchia d'amici') van Bernardo. Hij stond ook niet tussen hen in, op 'Il Pescatore', maar een camping ernaast: 'Mario'.

Met een leugentje piepte hij er tussen uit om zich te vermaken met zijn vrienden op 'Il Pescatore'.

Bruno had nogal een dominante vrouw en zij had het liefst, dat haar 'amante' de hele dag aan haar voeten lag. Onder het mom van: 'ik maak even een wandelingetje langs het strand', kon hij een ogenblik ontsnappen aan de aandacht van zijn bewaker.

Als Bruno het waagde langer weg te blijven dan zij wenste, dan kreeg hij er ongenadig van langs. Hij was als de dood voor haar. Zij kwamen uit Sicilië. De armoede waren ze ontvlucht en ze hadden een kans gewaagd in het rijkere noorden.

Op een avond, na een spaghettipartijtje waar alle vrienden uitgenodigd waren, kwam Bruno langs. De sfeer zat er goed in. Compleet 'casino'.

Iedereen was blij met de komst van Bruno.

'Bruno, suona la chitarra!' (Bruno, speel op de gitaar!), werd er massaal geroepen.

Omdat Bruno het hele gezelschap al eens eerder vermaakt had met zijn liedjes, was hij een welkome gast.

Bruno beheerste het 'drieakkoordenlied' als geen ander. C, G7 en F waren voldoende om de hele club 'tifosi' te vermaken. Daarbij moet ik wel aantekenen dat Bruno een excellente voordracht had. De Italiaanse toppers werden feilloos ten gehore gebracht:

'Marina' was daar natuurlijk ook bij: Marina, Marina, Marina, ti voglio piu presto sposar! (Marina, Marina, Marina, ik wil zo spoedig mogelijk met je trouwen.)

De hele kring zong spontaan mee, anders dan bij ons kent de Italiaan van talloze liedjes de tekst, en zweepte Bruno op tot complete gekte.

Een echte show werd er van gemaakt. Als Bruno het woord 'sposar' had gezongen, viel er een moment van rust en dat moment gebruikte hij om zijn dijen met schokkende bewegingen in voorwaartse richting te stuwen.

Geen twijfel liet hij er over bestaan, welke bedoelingen de minnaar van Marina had, nadat haar 'sposo' de belofte van trouw had gegeven.

Dit was waar ik van gedroomd had: binnendringen tot op de kern van een vreemde samenleving. Niks alle kunstschatten van Firenze, tempels in Sicilië, Sint Pieter in Roma. Hier opgeslurpt door de gewone Italiaan, 'al centro della canaglia.'

Beleven, beleven en nog eens beleven. 'Va vista!' Dat wilde ik zien! Voelen! Dan pas kun je zeggen: 'Ik heb Italië gezien'. 'Gezien' is te zwak, je hebt het opgezogen, het is een deel van je geworden. Italië... dat ben ik!' Dat noemen we nou assimilatie!

Helemaal een gekkenhuis wordt het als er op de lippen van Bruno een wesp gaat zitten.

Iedere muzikant zou van schrik zijn instrument laten vallen, maar Bruno niet.

Zelfs daar wist hij een komische draai aan te geven: in plaats van in paniek te raken en de kans te lopen een gezwollen bovenlip te krijgen, begon hij op de rust, na 'sposar', kussende bewegingen te maken naar de wesp. 'Spettacolo completa.'

Het 'grappaniveau' in de glazen steeg onmiddellijk: 'Grande casino.'

Nogal abrupt werd de uitdrukking in het gelaat van Bruno minder vrolijk: hij moest naar huis en zeer bedenkelijk keek hij op zijn horloge.

Zijn zwart geverfde 'amore' zou hem wel eens kunnen vermorzelen met haar ogen. Te lang had ze moeten wachten. Als dat maar goed ging. Dat zou wel eens de laatste strandwandeling kunnen betekenen.

Met de staart tussen de benen droop Bruno af en we wensten hem veel kracht toe voor het komende gevecht. Natuurlijk hadden we er ook veel plezier in dat de grote artiest in enkele seconden een complete metamorfose onderging. 'È la vita!'

Ik moest weer even alle zeilen bijzetten om de dialectische uitdrukking te begrijpen, die men Bruno nariep:

'Bruno, ci vuole tre mesi per fare la sega!' (Bruno, je hoeft slechts drie maanden de handzaag te gebruiken!')

Bruno kon er niet om lachen. Aarzelend keerde hij huiswaarts.

Iedereen kreeg de smaak zo te pakken, dat we diezelfde avond nog een afspraak maakten om met zijn allen enkele dagen later de bergen in te trekken om daar te gaan picknicken. 's Ochtends om elf uur zouden we ons verzamelen. Om twaalf uur was iedereen er, behalve Bruno, logisch als je zulke obscene bewegingen maakt, dat gaat niet ongestraft.

We werden over alle auto's verdeeld zodat we konden vertrekken. Wij zaten in de auto bij Bernardo en Valeria. We begonnen al aardig te vergroeien met elkaar. Toch o.s.m?

Een stoet van vier auto's reed vanaf het Lago di Caldonazzo in de richting van Trento en vervolgens reden we parallel langs de autostrada naar Mezzocorona.

Aan onze linkerhand passeren we de 'Paganella', een berg die door vele Italianen bezongen wordt om haar schoonheid. Talloze liederen zijn er over, gezongen door bergkoren, de meeste uit de streek. Ieder dorpje, al is het nog zo klein, heeft zijn eigen koor. Zittend op een terras, bevolkt door jongeren, moet je niet raar opkijken, als zo'n groep ineens de 'Paganella' begint te zingen.

Je wordt gedwongen ademloos te luisteren. Het is niet verwonderlijk dat Pavarotti uit Italië komt, er lopen vele Pavarotti rond.

In Mezzocorona stopten we met zijn allen bij een bakker om broodjes te kopen, die belegd werden met 'prosciutto': (ham), dikke plakken! Op naar het Valle di mele (appeldal), een dal in de buurt van Bolzano, omgeven door hoge bergen en langs de weg overal appelgaarden.

Als we arriveren bij het Lago di Clès, buigen we rechts af in de richting van 'San Romedio', een klooster.

We zetten de auto's op de parcheggio en wandelen naar het klooster.

Binnen zijn fresco's te zien op de wanden.

Buiten is het een drukte van belang. Er wordt geroepen: 'Charly prega, prega, prega!' (bid, bid, bid.)

Midden in een diepe kuil staat een grote Bruine beer: 'Charly'.

Als zijn naam geroepen wordt met het verzoek te bidden, dan kruist Charly zijn poten.

Dat gaat de hele dag zo door: 'De biddende beer'.

't Wordt tijd om de broodjes te verorberen. We zoeken een beschaduwde plek op in het bos. Er is op ons gerekend, want er zijn talloze banken aangebracht, die in een cirkel om een boom gevouwen zijn, om toeristen de gelegenheid te bieden hun 'piekenieke' te gebruiken. Picknicken is een echte Italiaanse gewoonte.

Hele families trekken in de weekends de bergen in om gezamenlijk te eten. Het is het middel om de familiebanden intact te houden. 'Nonno' en 'nonna' (opa en oma) zijn er steevast bij, tot en met de kleinkinderen toe.

We eten op ons gemak de broodjes op en besluiten de tocht te continueren.

Als we na een slingerende tocht door het prachtige appeldal langs een kraampje komen met dranken en hapjes, stappen we uit en bestellen een drankje.

'Vorremmo una bevanda per favore'. ('We zouden graag een drankje willen.')

De man in het stalletje reageert niet, doet zelfs alsof hij doof is.

Enige kennis van de geschiedenis kwam ons goed van pas, hoewel dat niet nodig was in gezelschap van Italianen.

'Porco dio, non rompermi le palle' (Godver... breek me de ballen niet), stootte Bernardo uit, 'hij is niet van plan Italiaans te verstaan!' We zaten immers in het gebied, dat Italië na de Eerste Wereldoorlog opgeëist had van de Oostenrijkers, die de oorlog verloren hadden. Zuid-Tirol is voorgoed in Italiaanse handen gebleven tot grote ergernis van vele Zuid-Tirolers, die dat nog steeds laten blijken door categorisch te weigeren Italiaans te spreken.

De meeste Tirolers zijn pragmatisch ingesteld en zijn er achter gekomen dat ze betere zaken kunnen doen door tweetalig te zijn.

'Wir möchten…

'Ah Sie möchten ein Getränk!'

Bernardo kon het niet nalaten de man duidelijk te maken, dat het geen manier van doen was je na zeventig jaar nog zo te gedragen. De man knikte, maar kon het niet opbrengen zijn excuses te maken. Zijn wonden waren waarschijnlijk nog niet helemaal geheeld.

Zelfs in bergdorpjes, die in streken liggen, die vroeger Oostenrijks waren, maar die nu geheel veritaliaanst zijn, wordt door oude mensen nog steeds Duits gesproken.

Ondertussen hebben de Tirolers zich er grotendeels bij neergelegd dat ze de terugkeer naar Oostenrijk wel uit hun hoofd kunnen zetten, ma non si sa mai, (je weet maar nooit)

Bernardo en ik lopen al lurkend aan ons flesje in de richting van een pad, dat de bergen in gaat.

We gaan zitten op een rots en praten nog wat na over de Tiroler kwestie. 'Zou ik het wagen om de rol van Italië in de wereldoorlogen aan te snijden?'

'Wat vind je van de rol van Italië in de twee wereldoorlogen Bernardo? Twee keer hebben ze de zijde gekozen van de Duitsers om vervolgens halverwege de oorlog de andere kant te kiezen'.

Ik begreep dat ik wel een erg lastige vraag had gesteld. Hoe moeilijk is het niet om de juiste keuze te maken, zeker voor een land dat de hele geschiedenis is overvallen door vreemde volkeren. Op welke termijn moet je denken: kort of lang?

Door wie word ik vermoord als ik de ene partij kies, en door wie als ik de andere kies? En wanneer?

Koos je de zijde van Mussolini, de fascisten, dan zat je jaren goed, maar daarna fout.

Koos je voor de communisten, dan zat je eerst fout, en daarna goed, en vervolgens weer fout. Hoewel: Italiaanse communisten zijn anders dan andere.

Mensen raken volledig in verwarring door kennis te bezitten van de geschiedenis. Veel gemakkelijker is het, als onwetende, je bij de grote massa aan te sluiten.

De grote massa zit dikwijls zo gemakkelijk in elkaar. Het gros sloot zich aan bij de fascisten. Het is nog steeds onverstandig het partizanenlied te zingen in Italië, het lied van de communisten. Het is dus een zeer delicaat onderwerp. Niet zo maar aansnijden dus. Het kan verkeerd vallen.

Bij Bernardo viel het niet verkeerd. De Joden in de Tweede Wereldoorlog kwamen ook ter sprake. Tachtig procent van de Nederlandse Joden is in een concentratiekamp terecht gekomen, vertelde ik Bernardo. Op talloze wijzen is gecollaboreerd. We hebben onvoldoende gedaan om de Joden te laten ontsnappen. Daar waren ze in Italië beter in geslaagd. Het omgekeerde was daar het geval. De kerk heeft er een grote rol in gespeeld, de Joden te laten ontsnappen, en dat lukte ook.

Bernardo nam ons de vele vormen van collaboratie niet zo kwalijk: 'Erano costretti', (ze werden gedwongen) De onmogelijke keuze…!

We moesten de club weer opzoeken, het was niet de bedoeling met de koppen tegenover elkaar te komen staan. Het was een grote uiting van vriendschap een dergelijk onderwerp aan te kunnen snijden, elkaars zwakheden bloot te leggen, om het feest vervolgens voort te zetten.

We sloten ons bij het groepje aan, dat al lang geen zin meer had om te wandelen, stapten in de auto en we gingen op zoek naar een restaurant: een pizzeria.

'Abbiam bevu e manja bene' (goed gedronken en gegeten).

Ondanks de vermoeidheid van de inspannende dag werd ik gedwongen toch maar weer eens goed op te letten. De vergroeiing nam zulke vormen aan, dat men het zich niet realiseerde, dat het voor een 'straniero' (vreemdeling), ondanks het feit, dat hij vlekkeloos hun taal sprak, toch bepaald moeilijk moest zijn, hun dialect spelenderwijs op te pikken.

Kronkelend langs het 'Lago di Caldonazzo, keek ik over het meer. Langs de randen keken de verlichte huizen terug naar mij. Ze hadden er een 'tifoso' bij gekregen.

Flikkerend knipoogden ze naar me: 'Buona notte. Ti amo.' (Welterusten. Ik hou van jou).

6

Toscana

Waar je van houdt, moet je niet wegdoen. We konden er ook geen afstand van doen, van Caldonazzo. We waren geheel vergroeid met een aantal families. Volkomen opgenomen in de clan. Een tweede huis was het voor ons geworden. Zo eigen waren we geworden met alles, dat we het gevoel kregen in onze achtertuin te zitten. Op zich kan dat een goed gevoel zijn, veiligheid, geborgenheid, vriendschap. Maar de spanning van het nieuwe is er niet meer. Nou waren we niet uit op spanning, maar een gevoel van: 'over dertig jaar zitten we hier nog', begon ons toch een beetje te benauwen. Onze heilige stelling dat ruim duizend kilometer wel ver genoeg was moesten we dan toch maar eens verlaten.

Dat betekende afscheid nemen van Diego, Graziella en Bernardo? We voelden het bijna als verraad. Dus zochten we een compromis. We zouden veertien dagen naar Toscana gaan en vervolgens weer terug keren naar Caldonazzo. We konden het de vrienden in Caldonazzo niet aandoen en onszelf trouwens ook niet, plotseling weg te blijven.

Zo veel was ons al verteld over de schoonheid van Toscana met haar glooiende heuvels en haar zonnebloemvelden, de prachtige steden met al haar kunst uit de Renaissance.

We moesten daar beslist heen. Het was voor ons een plicht: een 'va vista'. (moet gezien worden.)

De reis erheen viel niet mee. Mijn vader was overleden na een langdurige lijdensweg. Het had zijn tol geëist. Met mezelf had ik nog zo afgesproken dat duizend kilometer genoeg was en daar hield ik me nu niet aan. Toen we aankwamen in Bardolino aan het Gardameer had ik de limiet van duizend kilometer amper overschreden of mijn lichaam maakte me duidelijk dat het te veel gepijnigd was. Ik was nat bezweet en nam een duik in het Gardameer. Ervaringsdeskundige als ik was wist ik dat ik mijn hoofd letterlijk boven water moest houden want er werd lange tijd van alles geloosd op het meer en dat waren zaken die je beter maar niet binnen kon krijgen. Niettemin ging het mis. Amper had ik het water verlaten of ik beefde over heel mijn lijf. Ik was koortsig. De te emotionele laatste maanden hadden mijn weerstand ernstig verzwakt. We besloten maar een dagje extra te verblijven in Bardolino. Daarna vertrokken we naar San Gimignano.

We sloegen af bij Poggi Bonsi en reden het binnenland in. Het duurde niet lang of we ervoeren de schoonheid van Toscana. We werden omgeven door de velden met 'Girasoli', zonnebloemen. Het 'kopje naar de zon gedraaid', als je het gaat vertalen.

Op dat moment besefte ik hoe fijn het was de Italiaanse taal te hebben geleerd. Hoewel ik er toen pas één jaar studie op had zitten waren we al voorbereid op de pracht van deze velden. Door de taal te leren kom je dichter bij het volk. Je ziet meer en je begrijpt meer.

Ook ging er door mijn hoofd: zonnebloemen… Girasoli. Wat een verschil in naamgeving. Iedere bloem die geel is zou je een zonnebloem kunnen noemen, maar deze bloemen draaien allemaal hun kopje naar de zon en dat is dan ook de naam die ze gekregen hebben. De naam legt meteen een heleboel uit. Ik raakte daardoor steeds meer gefascineerd door de taal. Door woorden uit elkaar te rafelen kwam ik bij de oorsprong van de naam. Italianen leggen een bepaalde rijkdom in dit soort woorden. Plotseling begon ik te merken dat door de kennis van de Italiaanse taal mijn Engels en Frans ook weer terug kwamen uit het niets. Eigenlijk zou je kunnen zeggen dat ieder vreemd woord in onze taal van Latijnse oorsprong is. Je eigen taal wordt er enorm door verrijkt. Dat is mooi mee genomen.

In de verte zagen we de torens van San Gimignano al opdoemen. New York in het heel klein, maar dan in een vriendelijk landschap. Niet temidden van betonnen hoogtes waar men bang van wordt. Nee, een landschap dat niet heel erg afwijkend is van het landschap in de middeleeuwen. Rust straalt het uit. Een plek waar je mens kunt zijn.

Hier heerst nog de menselijke maat. Adembenemend, dit landschap. Niet te veel gezegd is het te spreken van verliefdheid als je naar dit landschap kijkt. Het raakte me onmiddellijk.

'Ah, een bordje: 'Campeggio'.

We komen aan op de top van een heuvel waar de camping ligt. We melden ons bij het kantoortje en worden begroet door een jonge heer die ons in zuiver Italiaans te woord staat. Dat was dat, de eerste kennismaking met de vreemde taal valt niet tegen.

'Zoekt u zelf maar een plaats', zei hij. 'Veel plaats is er niet meer, maar u heeft ook niet veel ruimte nodig.'

In het midden van de camping was een olijfbomenbosje. Onder de kruinen van de olijfbomen konden we onze caravan neerzetten. Vandaar uit keken we in de richting van San Gimignano met haar torentjes. Fotograaf Bussato had ons beslist niet misleid met zijn kunstzinnige foto's. Het is niet voor niets dat de kalenders met zijn foto's in alle winkels te koop zijn.

Twaalf torens telden we. Het moeten er veel meer geweest zijn. In de middeleeuwen, voor het jaar elfhonderd, woonde de adel grotendeels op het platteland. Daarna verhuisde de adel naar de stad. Daar wilden zij door middel van de torens laten zien wie de baas was. Soms bouwden ze een paleis, meestal in een kleinere afmeting dan de koningspaleizen.

Twee dingen wilden zij tonen: macht en prestige. Door torens te bouwen beschermden zij zich tegen de vijand. En vijanden waren er veel. Italië was politiek verdeeld.

Er waren aanhangers van de Paus, de Welfen ofwel de Guelfi en daarnaast de aanhangers van de keizer, de Ghibellini. De paus en de keizer waren in strijd over wie de baas was over het benoemen van bisschoppen. Een machtsstrijd dus. De paus vond het op zeker moment niet goed meer dat leken, zoals de keizer, zich bemoeiden met het benoemen van bisschoppen, de zogenaamde Investituurstrijd. De strijd tussen paus en keizer liep hoog op tussen Hendrik IV, Duitse koning en Roomse keizer, en paus Hildebrand. De paus verbood Hendrik bisschoppen te benoemen en excommuniceerde hem om die reden. Aangezien men in die tijd nog zeer gelovig was, betekende dat een zeer grote straf. Voor Hendrik zat er niets anders op dan boete te doen in Canossa en het uit te praten met Hildebrand.

Op die manier was het eeuwig ruzie tussen de Guelfen en de Ghibellijnen. Onderling waren die partijen ook nog weer eens verdeeld in gematigden en fanatiekelingen.

Indien de ene partij won van de ander dan zette men een verdieping op zijn toren om de ander te laten zien wie gewonnen had. Het torentje van de ander moest verlaagd worden. Op die manier was de vernedering dubbel zo groot.

Later in de middeleeuwen kon de adel zijn stempel niet meer zo drukken op de macht, omdat de macht steeds meer in handen kwam van kooplieden. De macht ging naar de gildelieden toe die resideerden in het gemeentehuis. Zij bepaalden dat de hoogte van de adellijke torens nooit hoger mocht zijn dan de toren van het gemeentehuis. Daarmee verdween de rivaliteit tussen de adel onderling. Natuurlijk legde de adel zich niet zo maar neer bij hun machtsverlies. Zij steunden de keizer in de hoop dat het leenstelsel gehandhaafd kon blijven. Ook streefden zij er naar politieke posities te bekleden om hun macht te handhaven. Op den duur hebben zij deze strijd toch verloren.

Terwijl ik tussen de torens liep ging dit hele machtsverhaal door mijn hoofd en ik dacht:

De hele geschiedenis draait om macht. Het is één knokpartij. Zal de mens er ooit lering uit trekken? Ja! Dat het altijd zo geweest is en dat het altijd zo zal blijven. Een machthebber die te veel macht heeft of te lang aan de macht is krijgt goddelijke neigingen. Zelfkritiek verdwijnt en kritiek van anderen poetsen ze weg. De tijd die ze aan de macht zijn bewijst immers hun onfeilbaarheid! Ik geloof niet in hoge posities voor het algemene goede doel. Het gaat hun meer om zelfverheerlijking, geschiedenis schrijven en voor dat doel mogen best duizenden mensen sterven. Hun ego is belangrijker dan vele mensenlevens. Testosteron wijst hun de weg. Soms wordt god er bij gehaald, die hun verteld heeft dat ze op de goede weg zijn. Hoe is het mogelijk dat een machthebber minder deernis heeft om miljoenen mensenlevens dan om zijn hond?

Voor de zoveelste keer betrap ik me er op dat ik het zuivere genieten van de schoonheid van de omgeving vertroebel door weg te zinken in gepeins over de achtergrond van deze zaken. Steeds gaan mijn gedachten naar Oscar Wilde met zijn vele uitspraken. Eéntje over schoonheid komt naar voren: 'schoonheid eindigt waar intelligentie begint'. Waarom moest ik nu uitgerekend op deze plaats hieraan denken? Enkele keren had ik een vrouw deze uitspraak voor gelegd. Meestal werden ze boos en reageerden furieus.

Zij meenden mij duidelijk te moeten maken dat schoonheid alleen iets voorstelt als er ook van ontwikkeling sprake is. Schoonheid moet ook inhoud hebben. Het was voor hen kennelijk niet mogelijk schoonheid als iets autonooms te bekijken, zonder bijzaken. Zo zag ik San Gimignano ook, de zuivere schoonheid. Het weg peinzen over macht haalde wat van de schoonheid af. Alleen door naar de torens te kijken genoot ik van de pure schoonheid. Zodra ik er de vechtlustige geschiedenis bij haalde merkte ik, dat ik de torens eigenlijk niet zag. Oscar Wilde had toch gelijk.

Dan kom ik weer even terug bij de wereld en geniet van de adembenemende uitzichten over de gele velden en de lieflijke heuvels. Ik moet op passen dat ik de schoonheid niet laat bederven door de massa mensen om ons heen, de talloze souvenirwinkels en stalletjes met prullaria waar ik mijn kelder nog niet mee zou willen opsieren. Het zou elitair zijn om San Gimignano om die reden te mijden en zo is het met meer plaatsen. Als er te veel mensen komen dan wordt het volks en dan mag men als intellectueel persoon zoiets niet mooi meer vinden. Zij zoeken dan plaatsen op waarmee men zich weer verheffen kan. Doe je dat niet dan tel je niet meer mee. Minimaal Amerika moet men bezocht hebben met zijn kinderen of een exotisch oord in Azië. Met San Gimignano kun je niet meer aan komen, in ieder geval wordt geen mens er door geïmponeerd. Terwijl we San Gimignano uitlopen, de poort onder door, kijk ik nog eenmaal om. Ik word overmand door indrukken van schoonheid, lieflijkheid, het adembenemende landschap en vraag me af waarom men temidden van zoveel pracht zoveel strijd heeft moeten voeren. De torens worden wazig en gaan als masten in de storm heen en weer. Alleen een zware penicilline-kuur had het mogelijk gemaakt deze plek te bezoeken. Het was genoeg voor die dag. We rijden terug naar de camping en bekijken van een afstand de torens nog eens.

'Wat staat er morgen op het programma?'

'Lucca!'

Lucca

We reden in de richting van Lucca. Bijna de hele ging reis over kleine wegen.

Hard rijden was er niet bij, want overal kwamen we herders tegen met schaapskuddes.

Het ergerde ons helemaal niet, in tegendeel we genoten van het tafereel. We werden weer even in de tijd terug geplaatst. Het was een tafereel, dat er vroeger niet anders heeft uit gezien. Niets mechanisatie, niets haast. Nee de schaapsherder heeft geen haast. En de schapen nog minder.

Hij loopt er nog net zo bij als de herder uit de Middeleeuwen, met een stok in de hand. Slechts enkele honden maken zijn taak wat gemakkelijker. Vlijmscherp zijn ze wat concentratie betreft. Geen schaap krijgt de kans verder van de kudde te komen dan de hond goed dunkt. Als een computer zijn ze geprogrammeerd. Het gedrag van de herdershonden lijkt op dat van eeneiige tweelingen. Het is ingeboren, gekopieerd. Iedere hond gedraagt zich op dezelfde wijze. De loop is hetzelfde, de manier van kijken, de fixatie voor zijn baas en schapen. Het fascineert ons en met genoegen nemen we de tijd voor onze verplichte onderbreking van de reis. Schaapsherder, een beroep waarvoor tijd en haast niet lijken te bestaan. De schapen doen ook geen enkele moeite om de weg vrij te maken. Ze gaan zelfs vlak voor de auto staan. Pas als de schaapsherder zijn honden het signaal geeft de schapen van de weg te jagen, komt er enige beweging in de kudde, onder luid belgerinkel. Het tafereel fascineert ons omdat we in onze auto ook zo'n herdershond hebben met hetzelfde kopieergedrag. Hoewel ze niet is opgevoed om schapen te drijven, is het voldoende haar uit de auto te laten om de schaapskudde in beweging te brengen.

Onmiddellijk reageren de schapen op de kleurstelling van de hond en waarschijnlijk ook op haar manier van bewegen.

We komen met de schaapsherder in contact:

'Wat leuk signore zo'n schaapskudde. Bevalt het werk u?'

'Jazeker, het is een van de weinige beroepen, waar je nog een beetje vrijheid hebt. Niet opgejaagd wordt door anderen. Een beroep met weinig stress. Behalve in de tijd dat er lammeren geboren worden is het zwaar. Dan ben je dag en nacht bezig. Maar ik doe het graag.'

'Wij hebben ook een herdershond signore en daarom kijken we ook.'

'Maar signori, die van u is geen echte, de mijne is echt!'

We hadden weinig behoefte om de pastore tegen te spreken en hem duidelijk te maken dat de onze een hele echte was en de zijne een kruising, het zou de communicatie bederven. Waarschijnlijk bedoelde hij dat de onze niet echt was om dat er geen schapen bij waren.

Dan komen we aan in Lucca. Volledig ommuurd is Lucca. De muren zijn nog intact. Vier poorten geven de burgers de kans te ontsnappen aan de stad, het 'centro storico', nog honderd procent middeleeuws. We kunnen blij zijn met het gebrek aan vernieuwingsdrang van de Italiaan. Dankzij deze eigenschap kunnen we genieten van de ongelooflijke schoonheid van de middeleeuwen. Of heeft de Italiaan meer historisch besef dan wij? Ook moderne gebouwen kunnen prachtig zijn van architectuur, maar ze geven geen warmte.

Door de poort lopen we de stad in. Het is typisch middeleeuws met haar smalle straatjes en talloze kleine winkeltjes, meestal familie bedrijfjes. De eigenaren van deze bedrijfjes zijn nog trots op hun nering, die van generatie op generatie is over gegaan. Uit de manier waarop men je helpt straalt liefde en warmte, niet de desinteresse van de bediende in het grootwinkelbedrijf. Je bent een klant met een gezicht. Hoe anders is dat in een groot bedrijf, waar men je na honderd bezoeken nog niet kent. Ik voel me thuis, ik ben een persoon met een identiteit.

'Zullen we eerst maar eens op zoek gaan naar een cafeetje waar we een cappuccino kunnen drinken? Daar ben ik ondertussen wel aan toe na zo'n lange reis!', zei mijn vrouw.

'Dat lijkt me een prima idee', zei ik.

Daar op de hoek is er al een!'

We zochten een plek in de schaduw, waar we een prima uitzicht hadden op het winkelende volk.

De ober kwam onmiddellijk naar ons toe.

'Mi dica signori' (Zegt u het maar meneer en mevrouw)

'Vorrei un cappuccino e anche per la signora.'

Enkele minuten later werd de cappuccino gebracht. Een waar kunstwerk was er van gemaakt. De koffie met schuim er op was overgoten met gesmolten chocolade. Een prachtig figuur keek ons tegemoet. Het was zonde de figuur kapot te maken. Met zo veel liefde was het klaar gemaakt. Ik werd voor de zoveelste keer overtuigd, dat kleinschaligheid bij me paste en dat grootschaligheid een gruwel voor me was.

We wandelden verder in de richting van een Romeins amfitheater, dat verwoest is door de barbaren tijdens de volksverhuizing. Alles werd met de grond gelijk gemaakt, maar op de fundamenten van het amfitheater werden weer nieuwe huizen gebouwd, zodat de ellips vorm van het oorspronkelijk theater bewaard gebleven is.

Vier bogen laten zien waar de vroegere poorten waren.

Terwijl ik voor het amfitheater sta zak ik weer even weg in gepeins. Waarom moeten veroveraars nou altijd alles kapot maken ? Zou het niet zonder dat kunnen? Hoort die vernedering er altijd bij? Overheersing alleen is kennelijk niet genoeg. De overwonnene moet vernederd worden zodat het hem absoluut duidelijk is wat zijn plek is. Huizen moeten worden vernield, vrouwen moeten worden verkracht en vanuit de totale ontreddering is men niet in staat om weer overeind te krabbelen. Zo moet het ongeveer zijn.

Wat zit de wereld toch idioot in elkaar. Ik besef dat het beter is maar niet zo veel te weten, want dun kun je je er ook niet druk om maken. Beter zou het zijn om niet te weten hoe machtsstructuren in elkaar zitten. Het zou het leven gemakkelijker maken.

We lopen verder naar de 'S. Michele in foro', een kerk die genoemd is naar het plein dat ooit diende als forum van een Romeinse kolonie.

De gevel is prachtig, maar eigenlijk bestaat de kerk vooral uit een gevel, want het achterstuk is veel te laag gebleven. Ook hier weer is een gebouw niet voltooid.

Omdat de gevel in geen verhouding staat tot de rest lijkt de gevel om te vallen.

Gelukkig staat aartsengel Michael op de top van de gevel. Hopelijk ziet hij er op toe dat de gevel niet omvalt.

De kerk is van een adembenemende schoonheid. Het is gebouwd in de stijl van de toren van Pisa, de Pisaanse stijl. Veel bogen en pilaren.

We kunnen niet te lang stilstaan bij al het fraais, we moeten nog terug en wie weet hoeveel schapen ons de weg zullen versperren?

Een wandeling om het 'centro storico' over de muren moet wel gebeuren om de dag op een mooie manier af te sluiten. Niet meer willen 'zien', maar de geweldige impressie van Lucca, wandelend over de muren, vast te leggen.

Terwijl we weer terug komen bij de poort waar we binnen gekomen zijn kan ik het weer niet laten te denken: wat is de Italiaanse taal toch rijk. Wij hebben slechts één woord voor 'muur' en daar moeten we het mee doen. Zij hebben er twee. Stadsmuren zijn in Italië 'le mura', en huismuren zijn 'muri'.

Waarom hebben wij toch al die muren af gebroken? Voor de vooruitgang! Ik besef dat niet alle vooruitgang inderdaad ook vooruitgang is. Het behoud van traditie kan zeer veel rijkdom geven, terwijl modernisering of vooruitgang een enorme verschraling kan betekenen. Ik nam me voor niet in alles voor op te lopen als het om modernisering gaat, maar me eerst af te vragen of daarmee niet veel rijkdom prijs gegeven zou worden.

Ciao Lucca, sei bella!

Wat zouden we de volgende dag ondernemen?

Pisa

Alleen al het horen van de naam Pisa doet een glimlach om mijn mond verschijnen. Altijd moet ik dan denken aan mensen die pizza en pisa door elkaar halen. Alle zeilen moet ik bijzetten om niet flink in de lach te schieten, als ze een pisa gegeten hebben. Wat zal dat zwaar op de maag liggen.

De toren van Pisa zou van schrik omvallen als je hem de toren van Pizza zou noemen.

Pisa is wereldwijd beroemd om de scheve toren, 'la pendente', de scheve, zoals hij genoemd wordt. Natuurlijk stond de 'scheve' op ons programma. Dus bezochten we Pisa vanuit San Gimignano.

Pisa ligt prachtig aan de Arno, dezelfde rivier die Firenze zoveel dimensie geeft, zoals een rivier altijd iets speciaals geeft aan een stad. Een stad zonder rivier is geen stad.

Steden ontstonden altijd aan rivieren vanwege de handel. Daarom was er ook altijd vertier in een stad. Dikwijls groeiden ze uit tot machtscentra. Met Pisa was dat niet anders. Eeuwen voor Christus was Pisa al een handelsnederzetting van Etrusken en Romeinen. Het Romeinse schaakbordpatroon van de stad verraadt de oorspronkelijke aanwezigheid van de Romeinen nog. Ook hier werd wat af gevochten tussen Pisanen en Moren en tussen Saracenen en Pisanen. Wat dat betreft zijn Italianen eeuwig en altijd doelwit geweest voor vreemde overheersers. Verwonderlijk is het dan ook niet, dat door scha en schande wijs geworden, na enkele brute aanvallen, men tracht een veilige buffer om zich heen te bouwen. De Pisanen wisten de brute aanvallen steeds goed te pareren. Verloren gegane gebieden wisten zij te heroveren op de vijand: Elba, Corsica en Sardinië. Wat dat betreft heeft Pisa een roemrijk verleden. Vanzelf gaat dat natuurlijk niet. Alles zullen ze in het werk hebben moeten stellen om door middel van een grote krijgsmacht zich te vrijwaren van overheersende volkeren. Pisa had dan ook een grote oorlogsvloot klaar liggen in de Middellandse Zee. Dat moest ook wel, omdat Pisa ook een grote handelsnatie was. Ik spreek hier van natie, omdat er in die tijd sprake was van stadsstaten. Van een eenheid Italië was nog absoluut geen sprake, in staatkundige zin.

De stadsstaten onderling vochten ook voortdurend om de macht. Tenslotte ging de macht van Pisa verloren aan die van Firenze en Lucca. Als havenstad zat het Pisa niet mee, omdat het verzandde, waardoor haar kracht als handelscentrum verloren ging.

We staan op het 'Campo dei Miracoli', plein van de wonderen, om te zien of het Italiaanse wonder de moeite waard is om te bezoeken. Pisa als stad stelt niet al te veel voor, dus het gaat vooral om de scheve toren en om de kathedraal. Het is hier niet anders dan in de andere Italiaanse toppers: massa's vreemdelingen, die opgestoken vlaggetjes van gidsen volgen. Japanners, Amerikanen en Engelsen, maar altijd Hollanders zul je er aan treffen. Hollanders komt men op alle plekken van de wereld tegen. Waarschijnlijk hebben we allemaal iets van het koopmansbloed mee gekregen.

De toren staat in de steigers. Alle moeite moet hij doen om overeind te blijven. Vanaf de bouw in de elfde en twaalfde eeuw, toen men voldoende geld had na het verslaan van de Saracenen in Palermo, ging het al mis. Vanaf het begin van de bouw stond de toren al scheef en dat is alleen nog maar erger geworden in de loop van de tijd.

De bouwwerken op de 'Campo' hebben de bouwstijl van alle strijdende partijen mee gekregen: byzantijns, christelijk en islamitisch. Het maakt de bouwstijl wel spannend.

Terwijl ik de toren van Pisa aanschouw, word ik verrast door de schoonheid er van: prachtige bogen, arcaden, zuilen. Ik kan me niet voorstellen hoe het mogelijk is dat hij niet omvalt, zo schuin staat hij. Een aantal mensen probeert de toren te helpen niet om te vallen door er 'schuin' tegen aan te gaan staan met een gestrekte arm. Humor valt aan te leren kennelijk, want iedereen doet dat kunstje na. Het valt me op dat humor van de meeste lieden niet verder gaat dan die van een papegaai. Beter gestolen humor, dan geen humor zullen we maar zeggen.

Het is mogelijk de toren te beklimmen, maar aangezien mijn antibioticum nog niet helemaal is uit gewerkt en ik enigszins duizelig ben haal ik het maar niet in mijn hoofd deze uitdaging aan te gaan. De toren is wel omgord en verankerd in de grond met lange staalkabels, dus ik hoef niet bang te zijn dat hij omvalt. Op deze manier hoopt men hem zo lang mogelijk staande te houden. Het verbaast me dat ondanks de valneigingen er toch nog mensen op de toren mogen. Maar goed, een bekende Romeinse keizer had de Italianen geleerd dat geld niet stinkt: 'pecunia non olet', vandaar.

De toren stelt ons niet teleur, hij is prachtig. We lopen naar de Dom en het baptisterium.

Ze zijn in dezelfde stijl gebouwd als de toren. Deze stijl wordt zelfs Pisaanse stijl genoemd en is van een ongekende schoonheid. De mengeling van stijlen die een gevolg is van de aanvallen van vreemde overheersers heeft dan toch iets fraais op geleverd.

De versieringen, de zuilen en de bogen op de toren, hebben niet als enige bedoeling fraai te zijn, maar ze zijn functioneel, ze dienen om te steunen. Terwijl ik naar Pisa op haar mooist kijk, besef ik dat de Italianen er alles aan doen om al het fraais te bewaren. Helaas heeft het land zo veel antiquiteiten dat er te weinig geld is om dat doel volledig te realiseren. Daarom zal het ook nodig zijn dat de toerist er flink voor betaalt. Ook realiseer ik me dat dit soort bouwkunst, vanwege de hoge arbeidslonen, nooit meer gemaakt zal kunnen worden. Wat een vertoon van vakmanschap. Het lijkt wel of kunstenaars zich onbelemmerd konden uitleven op kathedralen, kerken, gemeentehuizen en andere gebouwen. Het zou me uren kosten om achter het verhaal te komen van de beeltenissen van één enkele kerkgevel. Soms zit er een levenswerk in.

Met wetenschappers had de kerk het minder goed voor dan met kunstenaars. Wetenschappers bewezen dingen die voorheen het domein van de kerk waren. Indien de kerk beweerde dat de aarde stilstond, dan was het uitermate risicovol als wetenschapper te beweren dat de aarde draaide. De mensheid zou eens kunnen gaan twijfelen aan de zekerheden van de kerk. Dat was zeer bedreigend en zou de macht van de kerk wel eens kunnen aantasten. Het zou tot de ondergang van de kerk kunnen leiden. Kijkend naar de kathedraal en het baptisterium geniet ik van de pracht en praal, maar automatisch vervagen de gebouwen weer en verval ik weer in gepeins over het uiterlijke vertoon van de kerk. Ik zag het als een exhibitionistische vorm van machtsvertoon. Weinig trok de katholieke kerk zich aan van de Reformatie, de beweging die heftige kritiek had op het uiterlijke vertoon van macht en rijkdom van de kerk. De Reformatie vond dat het allemaal wel wat eenvoudiger kon. Als reactie hierop werd het uiterlijk vertoon alleen nog maar groter. De contrareformatie moest ook toezien op de zuiverheid van de wetenschap. Hoe is het mogelijk dat men wetenschap met geloof kan bestrijden?

Meten is weten en geloof is geloof. Laat de kerk maar buiten de wetenschap blijven.

Men dreigde Galilei, de natuurwetenschapper op de brandstapel te brengen indien hij zijn gevaarlijke gedachten niet op zij zou zetten. Galilei koos wijselijk eieren voor zijn geld. Wederom betrapte ik me op dwalingen. Niet de kunde te bezitten de schoonheid te isoleren uit de geschiedenis. Genieten van de schoonheid in zijn zuivere vorm.

We waren moe en zochten een weg uit de drukte. Weg uit de massa, de stalletjes achterlatend met de duizenden miniatuur torentjes van Pisa en Dommetjes.

We waren toe aan een cappuccino, al is het bestellen van een cappuccino midden op de dag een soort heiligschennis in Italië. Maar we hadden er nou eenmaal zin in en al zou het bestellen van een espresso minder lachwekkend overkomen, met twee slokjes konden we onze dorst niet lessen.

Mijn lichaam vertelde me dat er nog één 'Va vista' op het programma stond en dat het daarna wel mooi geweest was: Florence!

Firenze

Ten zoveelste male betrapte ik me op een glimlach die zich aan me op drong doordat iemand op een bepaalde manier teleurgesteld was in Italië, door gemis aan kennis.

'En hoe was het in Italië?', vroeg ik aan mijn baas na de vakantie.

'Leuk', zei hij, 'een prachtig land, maar…'

'Wat maar', vroeg ik hem. 'Was er iets dat niet helemaal naar je zin was?'

'Ja, we konden Florence niet vinden, het stond nergens aan gegeven.'

'En is het uiteindelijk nog goed gekomen dan?'

'Dat wel ja, op een gegeven moment vroeg ik het aan iemand en die vertelde me dat Florence hetzelfde is als Firenze en dat de naam Florence stamt uit de tijd van de Franse overheersing. Wist jij dat?'

'Wat denk je?', vroeg ik hem. 'In Italië kan één verkeerde letter een bizarre uitwerking hebben. Heel vermakelijk kan dat soms zijn. Van het ene op het andere moment word je het mikpunt van spot. Een verkeerde uitspraak kan tot enorme misverstanden leiden. Zo maakte ik mee dat ik wat spullen bestelde bij een groentevrouwtje aan het strand.

Ik laadde mijn mandje vol met: pomodori (tomaten), zucchine (courgettes), melanzane (aubergines). 'Wilt u nog wat 'nosci' signore?', vroeg het vrouwtje.

'Nosci?' vroeg ik.

'Si, nosci!'

'Ma signora, ik heb nog nooit van 'nosci' gehoord!'

Ze dacht dat ik haar in de maling nam, maar dat was niet zo.

Ze keek me aan en wees op de noten. 'Questi qua', zei ze, terwijl ze met haar wijsvinger naar de noten wees.

'Ah, noci!', zei ik haar. 'Geeft u er maar een pondje van.'

Ze kon de grap niet erg waarderen, keek zeer chagrijnig en deed de noten in mijn mandje. Waarschijnlijk vond ze me arrogant: een buitenlander die haar eventjes zou vertellen hoe je iets moest uitspreken. Gelijk had ze, maar op het moment dat ze het over 'nosci' had, had ik de noten niet zien liggen en ik begreep dan ook niet waar ze het over had. Daarom vond ik het ook zo vermakelijk dat iemand Florence niet kan vinden.

Mijn baas vond het ook vermakelijk en vroeg:

'Ken je nog meer van dat soort vermakelijke voorbeelden?'

'Talloze', zei ik. 'Eéntje dan nog!'

'Vrienden van ons stonden ooit aan het meer van Levico. Daar vlak naast ligt het Lago di Caldonazzo. Altijd als ze het over de camping hadden spraken ze over: camping 'Due Lacci'. Eigenlijk bedoelden ze 'Due Laghi', 'Twee Meren', 'Due Lacci' betekent 'Twee Strikken' en dat is natuurlijk heel wat anders.

'En verbeterde je ze dan?'

'Ja!'

'En wat zeiden ze dan?'

'Dat ik niet zo betweterig en arrogant moest doen!'

'Wij blijven het gewoon 'Due Lacci' noemen, zeiden ze dan en keken me ook nog boos aan.'

'Grappig', zei mijn baas.

'Ja, het bezitten van veel kennis wordt niet altijd gewaardeerd. Je drukt die ander wel met de neus op zijn onkunde en daar moet je voor oppassen. Vrienden maak je er niet mee!'

'Maar ga jij dan om je vrienden te gerieven, dat woord ook verkeerd uitspreken?'

'Nee, dat is me te gortig. Laat die ander maar stikken in zijn eigen frustraties!'

Langzaam dalen we de berg af in de richting van het dal van de Arno. Links en rechts worden we omgeven door dikke pinussen. Misschien staan ze er al honderd jaar. Dan aan onze linkerhand is er de eerste mogelijkheid om te stoppen: Piazzale Michel Angelo. Een parkeerplaats met uitzicht over Firenze, dat in het dal aan de Arno ligt. Duizenden malen heeft dat beeld zich al op mijn netvlies vertoond, alsof het een 'Deja Vu' is.

Verwarrend is het, een beeld te zien, dat je al zo vaak op televisie of foto's hebt gezien, dat je denkt er al eerder geweest te zijn. Ongelooflijke mooie foto's zijn er van gemaakt: Firenze bij ondergaande zon, in de nevel, in de sneeuw. Deze droom ligt nu voor ons. Heel nadrukkelijk steken verschillende torens boven de bebouwing uit, vooral de 'Dom'. Als een slang kronkelt de Arno onder de talloze bruggen door. Het is een prent die je hersens nooit meer kwijt zullen raken, zo diep wordt het ingekerfd. In Florence moet je er voor waken dat je niet te veel inkervingen op loopt. Zo overdadig is het, dat de overvoering constant op de loer ligt. Geen stad ter wereld is er, waar men zo veel kunstschatten heeft bewaard. Ik wil ze niet allemaal zien uit angst dat ik ze allemaal vergeet, dat ik mijn hersenen zo pijnig met overdadigheid, dat ze in opstand komen en niet meer willen gehoorzamen aan mijn wensen.

'Kom er niet in de zomer', zei ooit mijn lerares Italiaans tegen me. 'Firenze ligt in een dal. De warmte kan er niet uit, het blijft er hangen. De hitte is er zo extreem, dat je rubberzolen aan het asfalt plakken. 'Ci si muore!' ('Je gaat er dood!')

Inderdaad ging je er dood, maar je moest het noodlot niet tarten. Niet steeds in de zon lopen dus, indien het niet nodig was. Op tijd wat drinken. Dat laatste is nooit zo'n probleem in Italië. Immers op iedere hoek van de straat is een fonteintje met 'aqua potabile!' Beter is dus een bezoek in het voorjaar of najaar. Mogelijk is dat niet voor iedereen. Dus daagden we de zon uit. Aangezien Firenze een topper is wat betreft de bezienswaardigheden in de wereld, is het niet moeilijk de hoogtepunten te vinden.

Sluit je maar aan bij de eerste de beste groep en men vertelt je in iedere gewenste taal over de schoonheid van Firenze. In deze stad ontmoet men mensen uit alle uithoeken van de wereld tegen. 'Firenze doen in enkele uren.' 'We do it in American way.' Volg de opgestoken hand maar of de vlaggetjes. De Florentijnen zijn een apart volk. Zij spreken het mooiste Italiaans. Men was er vroeger trots op aangesloten te zijn bij een broederschap. Of men zorgde voor de armen of men begroef ze of men was bezig met de zorg voor weeskinderen.

Rijke lieden, bankiers, handelaren speelden graag voor barmhartige, waarschijnlijk om de aandacht af te leiden van de woekerwinsten die ze maakten. Niet veel anders is het nu. De talloze multimiljonairs in de muziekwereld gaan ook voor 'caritas' als ze hun schaapjes op het droge hebben. Is het niet een beetje hypocriet? Wat is het toch gemakkelijk een miljoen weg te geven als je er nog drie honderd over hebt! Maar goed, 'niet geven', is slechter. 'De Savonarola', kloosterling, predikte armoede en eenvoud, uit kritiek op de kerk die te uitbundig was in haar rijkdom.

Ondanks het feit dat Firenze veel rijken had, kreeg hij veel aanhangers. De kerk beschermde te veel kwade lieden vond hij. Het zou leiden tot de Apocalyps, de totale ondergang van de wereld. Hij predikte tegen zedelijk verval, degeneratie, luxe, verspilling en zucht naar vermaak. Toen hij een verwoede uitval deed naar de Paus en de kerk, inclusief naar de op rijkdom uit zijnde 'Medici' had hij het verbruid. Nog erger maakte hij het door te verwijzen naar vrijheid voor het intellect van de burger. De Savonarola was echter een intolerante fanaat in zijn ideeën. Hij draafde door. Alle ontucht de wereld uit. Daaronder verstond hij ook muziek maken, schilderingen op kerkmuren, kaarten en ontuchtige boeken. De Savonarola heeft het niet overleefd.

Hij is gefolterd en op de brandstapel gekomen en heeft daar ook zelf om gevraagd in letterlijke zin. Men kwam graag aan zijn wensen tegemoet. De kerk zat niet verlegen om al te fanatieke provo's.

De doorsnee mens heeft het niet zo op fanaten zonder grenzen. Men weet er geen raad mee. Voor de kerk ging De Savonarola een flinke streep te ver. Wat zou de kloosterling verlangd hebben? Alle rijkdom en luxe te verbranden? Het lijkt me dat hij een niet realistisch ideaal na streefde. Dat een mens niet gelukkig wordt van luxe en rijkdom lijkt me een goed uitgangspunt. Dat je een mens kunt terugwerpen naar een 'basic level', is een ideaal dat men later in de geschiedenis ook nog wel eens heeft uit geprobeerd, maar waar mensen niet geschikt voor zijn. De mens is gewend aan concurrentie en dat betekent automatisch een streven naar meer. We willen niet allemaal in hetzelfde groene 'pak' lopen. Ieder mens is een individu. Men moet zich kunnen onderscheiden van de grauwe massa.

Ik realiseer me, dat ik al een hele tijd in gedachten verzonken ben als ik ontwaak uit mijn historische mijmeringen terwijl ik sta op de 'Piazzale Michel Angelo', dat uitkijkt over Firenze aan de Arno. Langzaam komt het zuivere beeld van de 'Ponte Vecchio' op me af, totdat het weer volledig scherp is.

'Heb ik jullie niet al te lang op gehouden met mijn gepeins?', vroeg ik.

'Nee hoor, wij genieten ook van het prachtige uitzicht en we staan hier pas enkele minuten!'

'Dan is het goed, ik dacht dat we hier al een tijdje stonden.'

'Zullen maar eens verder afdalen naar de stad?'

'Goed idee!'

We stapten in de auto en daalden af naar de stad om te aanschouwen wat voor moois de adel en de kunstpausen ons hadden nagelaten. Om ons te oriënteren pakten we er een plattegrond bij. De 'va vista's' worden allemaal duidelijk aan gegeven. Alle objecten liggen betrekkelijk centraal. De eerste plek waar we stilstonden was de Piazza S. Lorenzo. We bekeken de San Lorenzo, een nogal onooglijke kerk van baksteen. Zo te zien is hij nooit af gekomen, althans, zo ziet het er uit. Gelukkig werden we omgeven door tientallen mensen die het verhaal aanhoorden van een gids. We sloten ons aan bij de groep en luisterden mee. Gelukkig was het in het Engels. Ons werd verteld dat het wel duizend jaar geduurd heeft voor dat de kerk voltooid was. De familie 'De Medici' die vele beroemdheden heeft voort gebracht: Pausen, financieel deskundigen, bestuurders, heeft een flink stempel gedrukt op het geheel. Zij behoorden tot de parochie van deze kerk. Brunelleschi had een groot aandeel in de bouw van deze kerk.

De binnenkant is van grote schoonheid, de buitenkant absoluut niet, integendeel.

Ook andere grootheden hebben er aan gewerkt: Donatello met zijn passiekansel van brons, Michel Angelo met het praalgraf van de Medici, bewaarders van kunst bij uitstek. Even gaat de gedachte door me heen wat een ellende machthebbers hebben veroorzaakt. Maar hier overheerst vooral het fraais dat ze ons hebben nagelaten. Ontelbare kunstschatten hebben ze verzameld. Even zo vele grootheden konden hun kunsten etaleren in de tijd van de Renaissance, die zich in Italië enkele honderden jaren eerder aandiende dan bij ons. Onvoorstelbaar is het, zo veel grootheden Florence heeft op geleverd en dat in een relatief korte tijd. Veel kritiek was er op de onmetelijke rijkdommen van de kerk. Onverteerbaar moet dat geweest zijn voor het arme volk. Maar de kerk was heel goed in staat de opstandigen van geest te onderdrukken. In ieder geval heeft de kerk veel moois na gelaten ondanks, of misschien wel dank zij de ellende.

We moeten maar weer verder. De gids houdt het kort. Eigenlijk een belediging voor Firenze: een kort bezoek. Firenze verdient meer dan enkele uren. Het is maar goed dat er ook mensen zijn die een hele dag doorbrengen in één kerk. Dat maakt het gemiddelde weer goed. Het zal de Florentijnen worst wezen: 'Pecunia non olet', maar in een stad zijn er vele zaken die stinken. Ook wij gaan voor de vluchtige indruk. De duizenden details gaan toch verloren, maar de impressie die enkele beeld bepalende zaken op ons hebben, die Firenze tot Firenze maken, zullen nooit uit gewist kunnen worden. Wij proberen de grootsheid op te snuiven en dat vast te houden.

We komen langs het Palazzo Medici Ricardi, alweer een Renaissance gebouw in opdracht van de Medici gebouwd. Wat een stempel heeft deze familie toch op de stad gedrukt. Wat zou Firenze geweest zijn zonder de Medici?

Wat ongeorganiseerd lopen we rond, terwijl we de gids zijn kwijt geraakt. Af en toe vraagt onze aandacht meer tijd voor al het schoons. Te fanatiek luisteren naar de gids vraagt zo veel energie, dat het genieten van de schoonheid verloren gaat. Steeds ben je met tekst bezig in plaats van te kijken.

Op alle straathoeken staan Afrikanen, die hun spullen uit gestald hebben. Behoorlijk brutaal bieden ze hun koopwaar aan: 'Olanda guardare non comprare' (Holland kijken niet kopen).

Ik loop door, kijk om en zeg: 'Hai ragione!' (Je hebt gelijk!)

De Afrikaan vond het niet zo'n leuke grap.

Plotseling pakken ze alle spullen op en smeren hem. De politie kwam er aan en de meesten waren illegaal.

We vonden het moeilijk een keuze te maken in Firenze en voelden ons even een kind, dat je niet te veel soorten snoep moet aan bieden. We besloten in ieder geval enkele toppers uit te kiezen, voor zo ver je daar van kan spreken in Firenze, want daar mee doe je een aantal toppers te kort. Dus werden het in elk geval: De Duomo Santa Maria del Fiore met het Battistero, de Ponte Vecchio en het Piazza della Signoria.

Eerst de Duomo Santa Maria del Fiore: de wereldberoemde koepel die trots boven de stad uit steekt en zo beeldbepalend is voor de stad. De Brunelleschi koepel, een wereldwonder. Daar sta ik even bij stil. Zo lang geleden, zo knap gebouwd. Ik word overweldigd door al het marmer, in drie kleuren nog wel. Wat een arbeid moet dat gekost hebben om al die duizenden meters marmer uit de bergen te zagen.

Hoe is het mogelijke al dat breekbare materiaal ongeschonden hier te krijgen? Ook Giotto heeft er aan gewerkt, al was het dan alleen maar aan de 'Campanile'.

Beroepen staan er op afgebeeld, christelijke deugden en figuren uit de bijbel. Een ware schoonheid. Hoeveel mensenlevens aan arbeid zitten hier niet in? Dan komen we bij het 'Battistero'. We staan voor de 'koperen deuren'. Even moet ik terug denken aan mijn schooltijd. Mijn leraar handenarbeid vertelde over deze deuren. Als hij er over vertelde kreeg hij tranen in zijn ogen. Belhamels als we toen waren, lachten we hem uit. Een vent die jankt als hij praat over de deuren van Ghiberti!

'Niet lachen', zei hij en sloeg vervolgens met een aanwijsstok op de tafel.

Dat betekende dat we nog harder gingen lachen.

'Niet lachen', gilde hij nogmaals en sloeg wederom met de stok op tafel, maar nog harder, om zijn gegil kracht bij te zetten.

'De deuren van Ghiberti zijn zo mooi, dat Michel Angelo ze 'de poorten van het paradijs' noemde', zei hij.

'Meneer,... wie is Michel Angelo, en waar is het paradijs?'

Pats!... de stok brak in tweeën op de tafel.

'Stelletje cultuurbarbaren! Je deugt niet als je nooit van Michel Angelo gehoord hebt!'

'Maar dat weten we wel meneer, dat is toch de man die de Mona Lisa heeft geschilderd?'

Weer begon de hele klas te bulderen. De leraar begon in de gaten te krijgen dat we hem in de maling namen en probeerde de domme opmerking over de Mona Lisa dan ook niet te corrigeren.

Hij kon het echter niet na laten te zeggen: 'Jongens, ik sta hier te praten over de grootste kunstenaars aller tijden en jullie lachen maar!'

De leraar draaide zich om, keerde zijn rug naar de klas toe. Het werd stil. We hadden het een beetje te gek gemaakt als aanstaande leraren. Niettemin, vonden we de man aardig, maar wel een beetje een sukkel. Zijn imago had hij ook enigszins tegen: onbevoegd voor deze vorm van onderwijs en hij had dikwijls staan vrijen met een leerling in het materialen hok. Later werd het zijn vrouw. We konden er wel om gniffelen.

Terwijl ik voor de 'koperen deuren' sta en deze aandachtig bestudeer, zie ik midden in de voorstelling de kalende kop van Ghiberti die me toelacht. Vond mijn handenarbeidleraar het niet om te lachen? Ghiberti moest er zelf nota bene om lachen.

Ik had er nooit iets van begrepen waarom mensen die hogere vormen van kunst bekijken of beluisteren er zo'n ernstig gezicht bij moeten trekken. Gelukkig dacht Ghiberti er ook zo over, terwijl het toch over het paradijs ging, een tamelijk serieus onderwerp lijkt me.

Ik vond het vermakelijk dat na zo'n lange tijd uit beeld te zijn geweest mijn oude leraar weer in beeld kwam en dat ook nu weer een glimlach op mijn gezicht ontstond. Alles zag ik weer voor me. Als een film speelde alles zich voor me af.

Het was niet alleen de stok, die hem zo belachelijk maakte. Hij had meer vreemde kuren. Behalve een stok in zijn ene hand, draaide hij een sleutelbos rond om de wijsvinger van de andere hand. Een vermakelijk gezicht was het: een leraar die vertelt over de 'poorten van het paradijs' en ondertussen steun zoekt bij allerhande voorwerpen om goed over te komen. In de psychologie hadden we al geleerd, dat je dan onzeker bent. We maakten daar gretig misbruik van en probeerden hem nog onzekerder te maken.

'Wat ben je aan het doen?', zei ik tegen mijn buurman?'

'Ik ben aan het turven hoe vaak hij het woord 'dus' zegt!'

Ook dat kwam er nog bij. Aan het einde van iedere zin het woord 'dus'.

De klas wist dat Frans aan het turven was. Bij honderd stak hij twee handen in de lucht.

Ook hierom gelach, eindeloos gelach.

'Laat dat papier zien!', brulde de leraar op nieuw.

'Wat mogen die honderd streepjes betekenen?'

'U heeft honderd keer 'dus' gezegd meneer en dat heb ik geturfd.'

Frans kreeg een harde schop onder zijn kont en kon het lokaal verlaten.

Ghiberti keek me nog steeds lachend aan en wist waarschijnlijk waarom ik hem glimlachend aan keek. Had hij mijn gedachten kunnen lezen?

Achteraf was ik blij met mijn oude leraar. Zonder zijn tranen was ik waarschijnlijk nooit naar de 'poorten van de hemel' gaan kijken. 'Bedankt meneer Zabel', zei ik.

Voor de laatste keer schoot ik in de lach: de leraar kon de 'S' niet zeggen, hij heette Sabel. Ik keek Ghiberti aan en vroeg hem of hij een plaatsje in het paradijs wilde bewaren voor me. Hij glimlachte. Misschien dacht hij: een humorist erbij kan geen kwaad.

'Kom, we gaan naar het Piazza della Signoria', zei ik tegen mijn vrouw.

Een aantal schilders probeert op dat plein de kost te verdienen met het schilderen van portretten. Feilloos weet een schilder de zwakke plek van ons te vinden en pakt onze dochter bij haar arm en vraagt ons of hij haar schilderen mag. Als trotse ouders laat je je niet kennen, dus stemmen we er mee in.

'Gaat uw gang' zeggen we hem.

Met aandacht volgen we zijn schilderkunst.

'Prego signori', zegt hij na tien minuten en toont ons het portret. Het valt ons niet tegen en we hebben een blijde dochter.

'Assomiglia?', vraagt hij nog.

'Ja het lijkt precies', zeggen we.

'Bene, bene', hij zwaait ons vriendelijk uit en heeft de volgende klant al weer te pakken.

We lopen op het plein van de Magistraat, Signoria genoemd, centrum van het politieke leven. Voor het Palazzo Vecchio staan we. Ook hier resideerde een 'Medici' als hertog.

We kijken omhoog naar de prachtige toren, die net als de Dom boven de stad uit torent. De hoge toren is een teken van de wereldlijke macht.

We bekijken de imitatie-David van Michel Angelo. Het originele beeld zou te veel risico lopen om vernield te worden. Ik heb nooit begrepen waarom sommige mensen zoiets vernielen willen. De bedoeling van zinloze destructie staat ver van me af.

Het wordt tijd om naar huis te gaan, maar we kunnen de verleiding niet weerstaan om afscheid te nemen van Firenze terwijl we staan op de Ponte Vecchio. Dit plaatje willen we voor eeuwig vastleggen. We staan op de brug van de goudsmeden en laten onze blik nog éénmaal gaan over het water van de Arno. Een bootje vaart onder de brug door.

'Kijk eens, wie er in het bootje zitten!', zeg ik tegen mijn vrouw.

'Allemaal bekende gezichten: Michel Angelo, Leonardo da Vinci, Pisano, Ghiberti, Caravaggio, De Medici en Dante Aleghieri.

Langzaam vervagen hun silhouetten. Firenze che sei bella. (Wat ben je mooi). Waarom heb je je zo laten verscheuren, terwijl je toch zo veel grootheden hebt voort gebracht? Waarom moest je een van je grootste zonen verbannen. Dante mocht zelfs nooit meer terugkeren op straffe van de brandstapel. Het vrije woord is hem fataal geworden.

Was de kerk zo bang voor je? Voor je vlijmscherpe woorden? Het zijn angsthazen die geen kritiek kunnen dulden. Hun macht duurt zolang ze kunnen onderdrukken.

Ze moeten wel onderdrukken omdat ze niet achter hun waarheden staan. Hun waarheden zijn onwaarheden en omdat jij ze er op wijst, moet je weg. Jouw grootheid wordt niet geduld naast hun kleinheid.

Dante, je bent terecht gekomen in een bizar spel. Als schrijver heb je de taak om dat spel te beschrijven. Het zou een 'Divina Commedia', een goddelijke komedie moeten worden, waarin je zelf terecht komt in de 'Purgatorio' (vagevuur). Dante, hoe groot moet je wel niet zijn om niet ten onder te gaan in dit machtsvertoon.

Heel langzaam verdween het bootje in de verte. Dante draaide zich om en zwaaide naar me. Hij wilde me vertellen dat hij mijn gedachte begrepen had en liet tevens weten dat er een uitweg is, uit de Purgatorio.

8

Betsy

Het was ons goed bevallen, de eerste helft doorbrengen in Toscane en de tweede helft in Caldonazzo. Vrienden hoefden we niet teleur te stellen, maar we waren ook tegemoet gekomen aan onze drang naar nieuwsgierigheid. Uiteindelijk overwon de drang om verder te kijken het van het gevoel een tweede thuis te hebben. Na zestien jaren Caldonazzo hadden we de moed gevonden de knoop maar eens door te hakken.

Onze vrienden Roef en Riek, waar we veel vakantietijd mee door gebracht hadden waren al eens eerder de monotonie ontvlucht en hadden zich enkele keren bezondigd aan Engeland.

Ook de vakantiespreiding gooide af en toe behoorlijk roet in het eten, hetgeen er toe leidde dat gezamenlijk vakantie doorbrengen moeilijk werd, soms zelfs onmogelijk. We waren al tevreden indien we veertien dagen samen konden plannen.

'Sovicile, enkele kilometers verwijderd van Siena, lijkt je dat wat?' zei Roef.

'Goed idee', zei ik. Dat is ligt in het hartje van Toscane en daarvan hebben we nog maar weinig gezien.'

'Dan kunnen wij de omgeving vast verkennen voordat jullie komen. Okay?'

Toen we aankwamen op camping 'La Montagnola' zagen we hun caravan al staan. Het was een camping die in etages opgebouwd was. Er waren behoorlijke hoogteverschillen, maar niet in die mate dat je er een tractor voor nodig had om uit de voeten te kunnen.

Ze waren er niet toen we aankwamen. Dus hadden we de tijd om onze spullen op ons gemak uit te stallen. Amper waren we klaar met het aanhaken van de luifel en het neerzetten van de stoelen en de tafel of er werd van boven geroepen: 'Koffie!'

'Hallo, we hadden jullie niet aan horen komen, maar fijn dat je stiekem koffie hebt gezet.

We waren al bang dat de koffie niet klaar zou zijn. Dat waren we immers gewend in Caldonazzo!'

'We waren even een boodschapje doen en toen we de poort passeerden zagen we jullie al staan en dachten: laten we geruisloos naar de caravan gaan en ze verrassen met een kopje koffie.'

'Dat heb je goed aan gevoeld Roef. Je weet hoe we in Caldonazzo altijd werden ontvangen. Als we daar aan kwamen dan werd ons door vijf verschillende mensen koffie aangeboden.'

Ik moet eerlijk zeggen dat op de een of andere manier zoiets heel prettig is, maar aan de andere kant begon dat ons enigszins te benauwen. Vriendelijk allemaal en heel goed bedoeld. Net als het handje helpen om de caravan op de plaats te zetten. Af en toe op de verkeerde plek, omdat je niet de tijd had gekregen er rustig over na te denken hoe en waar je wilde staan.

Maar met Roef en Riek was het anders.

Uiteraard werden zaken als de reis door genomen: was het druk onderweg, of heb je nog files gehad. De bekende vragen.

'La Montagnola' had een totaal andere sfeer dan we gewend waren in de noordelijke merenstreek. Zodra er water ontbreekt in de vorm van een meer of slechts een zwembad, dan treft men meer rust aan. Mensen die geen herrie aan hun hoofd willen en op zoek zijn naar cultuur bezoeken dit soort streken.

'En wat vind je van de omgeving en de camping?', vroeg Riek.

'Prachtig, mooie plek op een hele rustige camping. Echt Toscane hier met al die glooiende hellingen vol *Girasoli*.'

'Het bevalt ons hier ook uitstekend,' zei Roef. 'Water hoeft voor mij niet zo, want wij zijn niet van die zwemmers.'

'Wij zijn ook niet van die zwemmers, maar water geeft toch een dimensie extra aan een vakantie en af en toe een verfrissende duik is niet verkeerd', zei ik.

'Waarschijnlijk zal een koud biertje wel smaken na zo'n lange reis, hoewel ik je met alle plezier een glas witte wijn in wil schenken', zei Roef.

'Doe maar een biertje. Dat smaakt beter dan een witte wijn op dit moment. Je verliest veel water en ondanks het feit dat je veel drinkt ben je toch uit gedroogd na zo'n rit.'

'En de dames?'

'Wijn! Uit de koeling!'

Het duurde niet lang of de moeheid van de reis begon van ons af te vallen. We werden omgeven door een bijna volmaakte stilte. Het weinige geluid dat er gemaakt werd door enkele mensen was niet storend. Het geluid dat de cicaden maakten was oorverdovend, maar niet hinderlijk. Het hoorde helemaal bij de mediterrane sfeer. Ik probeerde de beesten te lokaliseren, maar dat viel niet mee. Als ik dacht dat ik er één gevonden had, omdat het geluid van heel dichtbij kwam, dan was het toch lastig het beest te vinden, vanwege zijn schutkleur. Aangeschurkt tegen de dunne eiken, bewegingsloos, vond ik ze. Ik merkte dat ze een spel speelden van vraag en antwoord. Onbegrijpelijk vond ik het dat mensen zich zo kunnen storen aan natuurlijke geluiden en daar wakker van kunnen liggen. Geluiden van kikkers, uilen, tortelduiven, meeuwen gaven me een gevoel van verbondenheid met de natuur. Prettig om daar deel van uit te maken.

Wat dat betreft waren we in goed gezelschap. Ons bevriende stel had ook het grootste deel van hun leven door gebracht op een plaats waar de natuur nog een behoorlijk stempel drukte op het leven van alle dag. Ik mocht graag luisteren naar het verhaal van Roef als hij vertelde hoe hij zijn jeugd had door gebracht in Giethoorn op de boerderij. Het gaf bij mij een gevoel van herkenning, omdat mijn vader ook zijn jeugd had door gebracht op een boerderij.

'Waarom heb je die boerderij niet over genomen van je vader Roef?'

'Dat zal ik je vertellen…'

Die boerderij was geen schoonheid om te zien, was niet karakteristiek. Ik moet er niet denken, aan al dat onderhoud. Bovendien valt er geen droog brood mee te verdienen. Mijn vader handelde in vee. Hij kocht koeien als ze jong waren en na een tijdje verkocht hij ze weer. Als mijn vader de wei in ging om er enkele dieren uit te halen voor de markt, dan assisteerde ik hem altijd.'

'Protesteerden ze dan wel eens?'

'Wat dacht je. Er moest ook wel eens een stier mee genomen worden. Denk maar niet dat je dat alleen af kunt. Ongevaarlijk was het zeker niet!'

'En heb je daar niet een zekere dierenliefde aan over gehouden?'

'Niet echt, je moet goed voor de dieren zijn, maar je er ook niet te veel aan hechten. Als je er te veel bij stil zou staan dat het beest even later in biefstukjes verandert dan kun je zo'n beroep niet uit oefenen.

De hond, daar was ik wel gek mee. Een Rottweiler was het. Altijd als ik met mijn vader de wei in ging, dan volgde hij ons op de voet. Heel trouw en lief was hij. Wij zijn meer op katten. Daar heb je niet veel werk aan. Met een hond moet je er altijd op uit trekken.

'Nee, het beroep "boer" is een uitstervend beroep in ons land.'

'En de overheid werkt ook niet bepaald motiverend of niet?'

'Absoluut niet. Op een bepaald moment stimuleren ze het bedrijf uit te breiden en vervolgens komen er allerlei maatregelen die je bedrijfsvoering onmogelijk maken. Nederland is te klein voor boeren. Vele boeren stoppen met hun bedrijf en incasseren een 'oprotpremie'.

Plotseling wordt de gezelligheid verstoord en rent Roef in volslagen paniek de caravan in.

Op hetzelfde moment scheert er een ekster over onze tafel.

Na enkele minuten komt Roef weer te voorschijn.

'Wat was er aan de hand Roef?'

'Die ekster!'

'Wat ekster!', vroeg ik.

'Ik ben bang voor eksters!'

'Bang voor eksters?'

'Ja, een soort jeugdtrauma.'

'Hoe is het mogelijk! Een kerel die in zijn jeugd een stier uit de wei moest halen is bang voor een ekster!'

'Ik weet ook niet waarom ik er bang voor ben, maar het is nou eenmaal zo.'

We hadden er groot plezier om en het was de buren naast ons ook niet helemaal ontgaan: de plotselinge paniek bij hun buren.

'Kom er even bijzitten en doe een glaasje mee!'

We namen onze stoelen mee en schoven aan.

Nog enigszins na gniffelend vertelden we wat er gebeurd was. Dat was een goede binnenkomer. Meteen met een jeugd-trauma op de proppen komen was kennelijk erg ontwapenend en ze staken dan ook meteen van wal over hun achtergronden.

'Waar komen jullie vandaan vroegen we?' Het gezelschap bestond uit een ouder stel van een jaar of zestig en een jonger stel van een jaar of vijfenveertig. Een wat vreemde combinatie.

'Wij komen uit Maastricht', zei het oudere stel. 'En ik kom uit Rotterdam zei de jongere heer.'

'En jij Betsy?'

'Ik woon in Breda en ik werk daar ook.'

'Dus jullie twee horen niet bij elkaar?'

'Nee. Karel woonde in zijn jeugd in Rotterdam. Hij heeft het bombardement overleefd, maar het huis van zijn ouders was totaal verwoest. Ze zijn toen naar Maastricht getrokken en hebben jarenlang bij mijn ouders in huis gewoond. Zodoende kennen Karel en ik elkaar.'

'We hadden elkaar al jaren niet meer gezien', zei Karel. 'Ik dacht laat ik Betsy weer eens opbellen. Misschien heeft ze zin om met mij en mijn vrienden op vakantie te gaan. Zodoende.

'Wat doe je voor de kost Betsy?'

Het hele gezelschap maakte een nogal intellectuele indruk, maar het was vooral een heel aangenaam gezelschap. Openhartig, goedlachs, nieuwsgierig en belangstellend en contactueel heel sterk. Prettig extravert voor de vakantie.

'Ik ben juriste', zei Betsy', 'ik werk bij de rechtbank in Breda.'

Hoewel ik er niet aan twijfelde dat Betsy uitermate erudiet was en bovendien uiterst wel bespraakt, was ze toch ietwat vreemd. Wat het vreemde was, kon ik moeilijk zeggen.

Ze zag er aardig uit, was het ook, maar…

'Heb je geen relatie Betsy?', vroeg ik haar.

'Nee', zei ze.

'Ook nooit gehad?'

'Ja, regelmatig, maar meestal zijn de mannen gauw uit gekeken op me.'

'Heb je enig idee hoe dat komt?'

'Weet ik niet. Ik denk dat ze me niet spannend genoeg vinden.'

Ik had het weer voor elkaar weten te krijgen dacht ik. Binnen vijf minuten binnen te dringen in de intieme cirkel waarin je slechts je aller grootste intimi toe laat. Zelf vond ik het altijd ontwapenend zo veel antwoorden te krijgen op vragen die men pas op een veel later moment hoort te stellen of zelfs helemaal nooit. Vroeger was ik nogal geremd op dat gebied. Misschien was het een soort onbewuste compensatie?

'Wat hebben jullie op het programma staan voor morgen?', vroeg Betsy.

'Morgen willen we een bezoek brengen aan Siena', zei ik.

'Siena is prachtig', zei Betsy. Dat is beslist een bezoek waard. Het is één van de mooiste steden die ik ooit heb gezien.'

'Vertel er maar wat over Betsy. Als leraar geschiedenis heb ik er heel veel belangstelling voor. En aangezien ik nogal een antilezer ben, luister ik graag naar je vertelkunst.'

Lijkt me fantastisch, compleet gedocumenteerd Siena te bekijken, zonder er een boek op na te hoeven slaan. Heel relaxed.'

'Ik ben nogal lang van stof. Is dat een probleem?'

'Integendeel, brand maar los.'

'Siena is genoemd naar Senius, de oudste van een tweeling. Hij is de zoon van Remus die vermoord is door zijn broer Romulus. De wolvin die ook Remus en Romulus heeft opgevoed, is mee genomen naar Siena. Zij is het eeuwige symbool van Siena gebleven. Het mooiste deel van Siena is 'Il Campo', het centrale plein in Siena. Het is van de mooiste pleinen van Europa. Het ziet er nog net zo uit als in de middeleeuwen. De huizen zijn van rode baksteen en het plein is geplaveid met travertin. Mooie gebouwen zijn de Palazzo Pubblico (gemeentehuis) met de Torre della Mangia. Deze toren heet zo omdat de klokkenluider zo lui was dat hij 'Mangia guadagni' werd genoemd.

Zou jij die naam kunnen vertalen?', vroeg Betsy.

'Ik kan het wel letterlijk vertalen, maar dan ziet het er niet uit Betsy, dus ik denk dat we onze fantasie er op los moeten laten om tot een redelijke vertaling te komen.'

'Ik denk eigenlijk dat de man te lui was om te werken en dat zijn leven alleen bestond uit eten.' 'Mangiare' is eten en 'guadagnare' is verdienen.'

'Zou het misschien ook kunnen betekenen dat eten zijn enige verdienste was?'

'Ik denk dat je het zo helemaal goed verwoordt Betsy.'

'Zal ik verder gaan?'

'Prima.'

'De stad doet ook opvallend aan Maria verering, meer nog dan andere steden.'

'Wat mag de reden daarvan zijn?'

'Siena heeft enorm strijd geleverd tegen Florence zoals je weet. Siena heeft de eerste strijd gewonnen. De Sienezen geloofden dat zij de overwinning behaald hadden met steun van god. Daarom werd de overwinning aan Maria opgedragen en werd Siena 'civitas virginis', stad beschermd door moeder Gods. Het is de oorsprong van de Palio.'

'Palio, de paardenwedstrijd, daar heeft mijn lerares Italiaans me veel over verteld. Heb jij de 'Palio' wel eens bezocht Betsy?'

'Eén keer. Ik ga er niet nog eens heen. Te veel gedoe om een plaats. En met een beetje pech staan er enkele grote kerels voor je en zie je niets.'

'Dat begrijp ik en je kunt toch ook niet vragen of je voor hun mag staan, want het is echt hun feest, niet waar?'

'Ik vertel je er over.'

'De Palio' is een wedstrijd met renpaarden. Eigenlijk is de 'Palio' een vlag met de afbeelding van Maria er op. De wedstrijd is genoemd naar deze vlag. De 'Palio' wordt tweemaal per jaar gehouden ter herinnering aan de overwinning op Florence. Degene die wint krijgt de 'Palio'. Siena werd aanvankelijk bestuurd door kooplieden, maar op zeker moment werd het ingelijfd door Firenze, onder Cosimo I de Medici en kwam het onder de heerschappij van het Groot Hertogdom Toscane. Het werd één van de belangrijkste vorstenhuizen van Europa. In alle koninklijke families zit wel bloed van de Medici.

Siena is verdeeld in contrada's (wijken). Iedere wijk heeft zijn eigen kostuum, in bepaalde kleuren. De contrada's vormden de middeleeuwse verdedigings en leefgemeenschappen. Er was een sterk saamhorigheidsgevoel en gemeenschapsgevoel in de contrada. Iedere contrada had haar eigen bestuur en regelde alles. Ze hadden een grote mate van autonomie. Het belangrijkste van alles was de 'Palio' twee keer per jaar op Maria feestdagen. Van de zeventien contrada's mochten er slechts tien mee doen. Voor de wedstrijd werd er geoefend en geselecteerd. De paarden werden verloot. De Babareschi verzorgen de paarden in de 'Casa del cavallo.' Dan wordt er een jockey (de fantino) aangesteld. Vanaf 's ochtends vroeg, op de dag van de Palio, verzamelen zich al duizenden mensen op de 'Campo.' Voor de wedstrijd is er een optocht van de vaandeldragers. Ook dat is de moeite waard om te zien.'

'Kon je het opbrengen om een hele dag te wachten voor een spektakel dat slechts negentig seconden duurt Betsy?'

'Ik vond het een geweldige belevenis. Ook de voorbereidingen op het feest waren heel mooi, maar alles bij elkaar vond ik het wel een vermoeiende dag.'

'Voor de inwoners van Siena is het natuurlijk anders. Voor hen is het De belevenis van het jaar. Zij leven er naar toe en zij zijn door het dolle heen als hun contrada wint.'

'Ja, dat is een groot verschil. Om die reden zullen zij het makkelijker vol kunnen houden.'

'Ik heb het schouwspel wel eens op de TV gezien. Uiteraard is dat minder spannend, maar in ieder geval heb je geen last van mensen die voor je neus staan. De start vond ik een nogal nerveuze aangelegenheid. Het duurde wel een half uur voor alle paarden gereed stonden. Ik kreeg het gevoel dat ze steeds terug moesten voor een valse start. Eindeloze vertoning, maar kleurrijk.

'Bleven alle paarden op de been toen jij er was?, want er zit een behoorlijk scherpe bocht in het parcours en er wil er nog wel eens eentje vallen.'

'Helaas viel er een in die scherpe bocht en het was ook niet in staat om weer op te staan. Erg zielig vond ik dat.'

'En toen?'

'Het beest kreeg het beslissende spuitje, want het schijnt dat ze zo'n paard moeilijk op kunnen lappen. Ik moest wel een traantje weg pinken.'

'Jammer, dat zou voor mij de dag totaal bedorven hebben. Dierenvriend als ik ben, kan ik het niet aanzien dat dieren leed wordt toe gebracht. Heel opstandig word ik dan van binnen. Schrik niet van wat ik nu zeg. Als ik zie dat een jockey een paard dwingt over barrières te springen waar het angst voor heeft en ruiter en paard komen ten val dan word ik heel bedroefd indien men het paard laat inslapen.'

'En als de ruiter zwaar letsel krijgt?'

'Dat deert me niet…, totaal niet. Men gaat over de grenzen van het dier heen. Het gaat alleen om hun respect en niet om het respect voor het dier. Het is altijd de mens die de grens bepaalt Betsy.'

'Neem je nu niet een al te provocerend standpunt in? Veel mensen zullen je dat niet in dank af nemen!'

'Kan me niet schelen. Ik provoceer niet. Zo voel ik het nu eenmaal. Waarom zou ik er omheen draaien. Mijn gevoel is eerlijk. Dat wordt gestuurd door niemand. Zelfs niet door mezelf.'

'Ben je niet bang dat je vijanden maakt met zo'n standpunt?'

'Sommigen haten me om mijn standpunten anderen waarderen me er om. Standpunten in nemen schept duidelijkheid.'

Langzamerhand kreek ik het gevoel dat Betsy me absoluut niet zou haten om mijn nogal extravagante meningen, integendeel, zij was bovenmatig in me geïnteresseerd.

'Vertel verder Betsy, of is je verhaal afgelopen?'

'Over de Palio zelf weet ik niet meer zo veel te vertellen, maar wel wat zaken er om heen.'

'Prima, ga door, ik ben gek op dit soort achtergronden.'

'Siena was een economische supermacht in de middeleeuwen. In de vijftiende eeuw werd de Monte di Pietà, een bank, opgericht. In heel Europa hadden zij vertegenwoordigers. Als eerste maakten ze gebruik van wisselcheques. Doel was de arme bevolking goedkope kredieten te leveren. Er was namelijk een enorme markt voor woekeraars, die de arme bevolking uitbuitten. De bank gaf leningen tegen lage rentes. Een sociale instelling dus.

De Monte di Pietà was de voorloper van het moderne bankwezen. Eigenlijk was het in gang gezet door Franciscaner monniken. Veel geld werd er besteed voor de caritas. Ook landbouwers kregen kredieten. Een soort boerenleenbank in feite. Verder bezat de bank wijngaarden, maar ook weidegronden. Indien je geen geld had dan kon je ook een pandje inleveren in de vorm van een sieraad of iets dergelijks.'

'Zo is het wel genoeg Betsy. We moeten ons wat meer met het gezelschap bemoeien.'

'Je glas is leeg. Zal ik het maar eens vullen?'

'Goed idee.'

'Ik ben benieuwd welke indruk Siena op me maakt met deze rijke informatie. Waarschijnlijk komt het totaal anders op me over, wetend welk een bruisende historie Siena achter zich heeft staan.'

'Mijn compliment Betsy, je bent een innemende verteller.'

Abbazzia di Monte Oliveto

Vlak onder Siena ligt een heel bijzonder landschap, Le Crete, hetgeen slaat op klei. Hier en daar hebben boeren de aarde omgeploegd en liggen de akkers bezaaid met grote brokstukken klei. Waar het graan gemaaid is kijken we aan tegen een stoppelig landschap, geel van kleur, gevuld met enorme rollen stro. Zeer karakteristiek is de Crete vanwege het stoppelige uiterlijk dat iets weg heeft van een af geschoren baard dat nog iets van zijn verleden wil tonen.

Vanwege de vreemde structuur van de grond, krijg ik af en toe de indruk dat ik me op de maan bevind. Op de top van een heuvel een eenzame boerderij omgeven door cipressen en een idyllisch kronkelend laantje er naar toe maken het landschap typisch Toscaans. Toscane op zijn best. Een foto waard of een schilderij. Toonbeeld van rust, van onthaasting. Alsof de tijd heeft stil gestaan. Zo was het toen, en zo is het nu.

We reden in de auto door dit landschap. Dit kon niet waar zijn. Het heeft niets met werkelijkheid te maken. Je hebt het gevoel bedrogen te worden door de combinatie van cultuur en natuur. Ook wat dit betreft,de landschappelijkheid, zijn de Italianen meesters van het design. Niet te veel, maar vooral weglaten. De boerderij met de cipressen en het laantje er naar toe zijn zo prachtig doordat ze uitkomen tegen de achtergrond van het rustige decor. De eenvoud eist alle aandacht op. Wat hebben Amerikanen en Engelsen dit goed gezien, deze schoonheid, en pleegden zonder enige schroom een tweede invasie, door half Toscane op te kopen.

Veel onbewerkte stukken grond lijken als een bron uit de aarde te stromen. Golvende modderstromen van klei bedekken de heuvels.

'Roef, zou je een momentje willen stoppen voor een sanitaire aangelegenheid?'

'Natuurlijk', en de auto werd langs de weg in het stro-achtige gras geparkeerd.

Op het moment dat ik sta te urineren, valt me op dat de aarde met de rimpelige klei, lijkt op de gegroefde huid van een olifant.

Enthousiast over dit magische fenomeen roep ik luidkeels naar het gezelschap in de auto: 'Het lijkt wel op de huid van een olifant!', waarop de auto begint te schudden van het gelach.

Ik had het begrepen en moest verder maar geen uitleg geven over dit misverstand.

We reden verder in de richting van Monte Oliveto, naar het klooster. Er werd weinig gesproken.Het landschap zou hiermee geweld aan gedaan worden.Deze rust moet je in je opnemen voor je terugkeert in een wereld die constant bezig is je op te duwen. Het gevoel in de file te staan, terwijl je langzaam vooruit kruipt, er iemand op je bumper zit, die daarmee aan geeft dat je op moet schieten, is hier volkomen vreemd. Hier kun je ademen in jouw tempo.

In gedachten ging ik even terug naar mijn kindertijd. Italië was dikwijls het tafereel van aardbevingen. Wanhopige massa's met opgeheven handen zag ik voor me. Huilend, elkaar omklemmend, de handen naar de hemel gericht om steun te zoeken bij God, die hen toch zo in de steek had gelaten. Alle huizen van het dorp vernield. Soms alleen scheuren, soms met de grond gelijk gemaakt. Voorlopig mochten ze in woonwagens wonen, die er door de plaatselijke overheid neer gezet waren. Hun huis zou weer hersteld worden. Maar al te vaak kwam het geld voor herstel in handen van de maffia, hetgeen de wederopbouw vertraagde en de bouwkwaliteit zeker niet ten goede kwam. Het verbaast me op het moment dat ik door dit landschap rijd, vol met diepe kloven en vulkanische kegels, dat er geen angst bij me ontstaat door de boosaardigheid van de ondergrond die ons plotseling ten deel zou kunnen vallen.

Slechts een enkele keer liet de aarde ons zien dat zij heel gemeen kon zijn. Hevig werd er aan mijn strandstoel getrokken. Iemand dacht leuk te zijn en me op een grappige manier te verrassen door aan mijn stoel te schudden. De hand voor mijn ogen ontbrak er nog maar aan. Maar nee, het was een behoorlijke aardbeving. Ook de zwaveldampen die aan de aarde ontstegen en onze neus binnen kwamen gaven duidelijk aan dat er met deze aarde niet te spotten viel.

In deze streek waar God de baas speelt streken ooit drie mannen neer: Bernardo Tolomei met zijn vrienden Piccolomini en Patrizi. Ze namen afstand van de welstand van hun rijke families om hier in eenzaamheid te leven volgens de regels van de heilige Benedictus. Ze werden erkend als Benedictijnen en namen hun intrek in het klooster van Monte Oliveto dat gesticht was door Paus Clemens VI. In de kruisgang is in zesendertig rondbogige afbeeldingen het leven van de heilige Benedictus weergegeven. Het moest een voorbeeld zijn voor de in het klooster levende monniken.

We komen aanrijden bij het klooster, zetten de auto neer op de parkeerplaats en gaan naar binnen. Geen woord wordt er gesproken. Absolute stilte heerst er.

Wat brengt iemand er toe om in stilte te leven, zich af te keren van de wereld en zich te wijden aan God? Als ik hier sta, dan dringt het tot me door, dat ik me hier niet op gejaagd voel, me een moment kan onttrekken aan de 'ratrace' van het leven.

Niet lastig gevallen wordt door een voortdurend afgaande mobiel van een persoon die behoefte heeft om me een verzekering aan te smeren, of mij een hypotheek voor een lagere prijs wil aanbieden. Hier kan ik me afzijdig houden van de wereld van instantbevrediging, de wereld waarin alles moet en wel... meteen. Geloven in een God doe ik niet, maar hier geloof ik dat 'tot jezelf komen' mijn God zou kunnen zijn. Iedereen zou verplicht moeten worden zich maandelijks gedurende enkele dagen te onttrekken aan de haastwereld en hier moeten vertoeven om na te denken over de wijze waarop hij of zij leeft. Consumeren en nog eens consumeren. Bestaat de wereld alleen maar uit consumptie? Koop je ongeluk maar af met een paar nieuwe schoenen. De kloosterlingen hadden geen schoenen. Hier nam ik me voor mijn onvredegevoelens voortaan niet meer te bevredigen met consumptiegedrag, indien ik me niet gelukkig voelde, maar dat uit te stellen tot een later moment.

We reden naar huis en namen de stilte mee. De kloosterlingen waren er in geslaagd zonder iets te zeggen, ons een boodschap mee te geven.

Montalcino

Montalcino is van oorsprong een Etruskische stad. Het moest bescherming bieden aan het dal van de Ombrone en de Asso. Na de slag bij Montaperti van Siena tegen Firenze kwam Montalcino in handen van Siena. Indien je anderen aanvalt dan kun je verwachten dat je ooit zelf ook slachtoffer kunt worden. Een te duidelijke machtsuitbreiding kan voor een machthebber uit de buurt gevaar betekenen en dat zou er wel eens toe kunnen leiden, dat je het slachtoffer wordt van je eigen uitbreidingsdrang. Machthebbers streven immers altijd naar meer.

Siena moest in Firenze, onder leiding van Cosimo de Medici, uiteindelijk haar meerdere erkennen. De Florentijnen werden bijgestaan door Filips II, de Spanjaard.

Verbazingwekkend is het altijd te moeten constateren, dat bij een machtswisseling de bevolking verscheurd wordt. Er ontstaan partijen. Bijna kun je stellen dat men de bevolking kan verdelen in de moedigen, die hun eigen grond koste wat kost willen verdedigen en daarnaast de lafaards, ofwel de rekenaars, die een inschatting gaan maken wie er zal winnen.

In dat geval is het beter over te lopen naar de mogelijke overwinnaar. Bij een verkeerde keuze zal de afrekening niet uit blijven. Het vreselijk van dat alles is, dat men behalve de vijand van buiten ook de vijand van binnen nog in de gaten moet houden. Mijn gedachten gaan hierbij uit naar de film *I served the King of England*, een film van Henzel, naar het boek van de Tsjech Habral. Wat laat deze film het onderscheid tussen de 'vaantjes' en de dapperen duidelijk zien. De hoofdrolspeler, die in een restaurant werkt en ten koste van alles miljonair wil worden, maar om die reden ook aan Duitse zijde gaat staan. Zelfs een relatie aanknoopt met een gehersenspoelde Duitse die er ideeën op na houdt over de erfelijkheidsleer over hogere en lagere rassen. Hij knapt zelfs niet op deze juffrouw af als zij slechts in staat is zijn zaad te ontvangen terwijl zij in aanbidding naar het portret van de Führer kijkt. Zij baart een kind voor Hitler. De minnaar wordt ook pas goed bevonden na een strenge keuring op zuiver Ariërdom. Niets staat hem in de weg om zijn doel te bereiken. Als de Duitsers Tsjechië veroveren dan kiest hij onomwonden voor de vijand. Terwijl de baas van het restaurant duidelijk zijn antipathie laat blijken tegenover de Duitsers, kiest hij de andere kant.

Na de oorlog laat hij trots aan de partijbonzen zien dat hij miljonair geworden is en dat kost hem veertien jaar gevangenisstraf. Trots was voor één moment zijn intelligentie de baas.

De communisten wisten wel raad met miljonairs en kapitalisten.

Soms word ik vervuld met walging als ik aan dit soort mensen denk. In tijden van oorlog, maar meestal al in de aanloop er naar toe, wordt de scheiding gemaakt tussen de vaantjes en de dapperen. In een niet repressieve maatschappij worden de vaantjes wat minder duidelijk naar voren geschoven, maar ze zijn er, de slijmballen die geen enkele vorm van kritiek durven geven uit angst voor vergelding. Als een verslagen hond draaien ze hun hals naar de baas, niet in staat om nog enig geluid met kracht te produceren.

'Waar sta je aan te denken?', zegt Roef tegen me, terwijl we in Montalcino staan, op het hoogste punt bij de ruïne van een kasteel.'

'Ik denk na over de strijd die zich hier heeft af gespeeld tussen Cosimo de Medici van Firenze en Siena.'

'En waar gaan je gedachten dan precies naar uit?'

'Dat door zo'n strijd het volk wordt verscheurd omdat ze soms niet goed weten welke partij ze moeten kiezen. Dat foute lieden zich manifesteren in zo'n tijd omdat ze zich scharen aan de zijde van de mogelijke overwinnaar.'

'Dat zijn niet bepaald vakantie gedachten, of wel soms?'

'Je hebt gelijk, maar zo zit ik nou eenmaal in elkaar, dat gaat vanzelf.'

'Het geeft natuurlijk wel de nodige diepgang aan hetgeen je ziet.'

'Dat is wel zo, maar het wil nog wel eens gebeuren dat ik meer met de geschiedenis bezig ben dan met de realiteit.'

'Zullen we een deal maken. Jij mag je nog even uitleven op de geschiedenis van deze streek en vertelt ons daar het een en ander over en vervolgens keren we terug naar de realiteit, zoeken een terras uit om ons over te geven aan een wereldwijn van de 'Brunelli'.

'Dat is het beste voorstel van de dag!'

'Het waren "Medici", in dit geval Cosimo, die de strijd in dit gebied won, waardoor men ingelijfd werd bij het Groothertogdom Toscane. Zij vormden een der belangrijkste vorstenhuizen van Europa en hun bloed vind je dan ook in bijna alle Europese vorstenhuizen terug. Honderden jaren heeft hun dynastie geduurd. Als koopmansgeslacht zijn ze begonnen. Op den duur wisten ze zich binnen te dringen in de vorstenhuizen.'

'Als bioloog kun jij me toch wel vertellen dat er sprake is van inteelt indien er in bepaalde families steeds hetzelfde bloed voorkomt? Of zie ik dat niet goed?'

'Dat is zo. Als de goede eigenschappen steeds terug komen is dat geen probleem, maar de slechte eigenschappen worden ook door gegeven. Op een gegeven moment kom je daar niet meer van af. Maar er zijn veel volkswijsheden op dit gebied.'

'Er zijn hele goede Medici geweest of niet?'

'Zeker, de eersten waren hele goede. Er waren er die het tot paus gebracht hebben, of tot bankier. We kunnen rustig stellen dat het grootste deel van de kunstverzameling van Firenze te danken is aan de kunstverzamelaars onder deze familie.'

'Is dat inteelt gedrag van de Medici later in de geschiedenis nog afgestraft?'

'Jazeker. De laatste der Medici waren nogal overspelig. Is ook wel logisch natuurlijk.

Ze werden uitgehuwelijkt aan een persoon waar ze niet van hielden, hetgeen betekende dat ze vreemd gingen met iemand waar ze wel van hielden. Uithuwelijking was een machtskwestie.

Op deze manier zijn de grote rijken ontstaan, zoals dat van de Habsburgers.'

'Liepen ze geen geslachtsziekte op van al dat vreemd gaan?'

'Uiteraard, met alle consequenties van dien! Dat betekende dat ze onvruchtbaar werden en dat uiteindelijk de vorstenhuizen geen Medici meer in hun midden hadden. Maar de Medici wisten door te dringen tot het beroemde geslacht der Habsburgers, die toch bijna heel Europa tot hun domein rekenden.'

'Ongelooflijk zeg!'

'Dat kun je wel stellen! Zal ik eens wat uitwassen vertellen van die vreemdgaanderij?'

'Daar ben ik benieuwd naar.'

'De nicht van de Franse Zonnekoning Lodewijk XIV, Marguerite Louise d'Orleans was zwanger van Cosimo III de Medici, Groot Hertog van Toscane. Louise was uitgehuwelijkt aan Cosimo. Hij was echter vreselijk dik en lelijk. Zij haatte hem. Haar haat was zo groot dat ze steeds vluchtte voor hem. Alles heeft ze in het werk gesteld om de vrucht kwijt te raken. Paard rijden, dun gekleed gaan terwijl het regende, hongerstaking. Ze werd ernstig ziek. Men besloot haar te aderlaten. Niettemin werd het kind geboren. Iedereen was blij, behalve zij.

Uit vreugde over de geboorte heeft men de vijver bij 'Palazzo Pitti' vol laten lopen met wijn.

De fonteinen spoten wijn.

Cosimo III was een godsdienstfanaat, erger nog, godsdienstwaanzinnig. In zijn fanatisme draafde hij ver door.

'Naakten' op schilderijen moesten van kleren worden voorzien. 'Uit het raam hangen' werd verboden omdat het tot flirterij kon leiden. Men moest onmiddellijk op de knieën als de kerkklok ging luiden. Wetenschappelijke experimenten beschouwde hij als godslastering.'

'Nogal een rare vogel dus die Cosimo!'

'Een hele rare!'

'Stel je voor dat alle wetenschappers nu op de pijnbank moesten. Mooie boel zou dat worden.

Cosimo had problemen met zijn viriliteit. De gewenste kinderen wilden maar niet gemakkelijk komen. Om die reden moest de dokter wekelijks bij de copulatie zijn om er op toe te zien of het een en ander wel goed ging. Dat leverde drie kinderen op. Marguerite had haar taak volbracht en werd het huis uit gezet.'

'Bij de wilde spinnen af. Vind je niet?'

'Daar heb je volkomen gelijk in Roef en dan wel in letterlijke zin. Een mannetjesspin wordt na de geslachtsdaad onmiddellijk door het vrouwtje gedood.'

'Heel functioneel dus, want het mannetje heeft na de daad toch geen functie meer?'

'Dat is helemaal juist. In de dierenwereld dient de daad slechts om nakomelingen voort te brengen, om goede genen door te geven. Mensen copuleren meer voor hun plezier dan om het voortbrengen van nageslacht.'

'Wat vreemd is dat. Heb je daar een verklaring voor?'

'Ik zal mijn best doen Roef om het te verklaren.'

'Ik ben benieuwd.'

'Ik denk dat mensen meer op schoonheid selecteren en dieren meer op functionaliteit.'

'Hoezo?'

'Je hebt vast wel eens naar chimpansees gekeken in de dierentuin.'

'Natuurlijk.'

'Is het je opgevallen dat de vrouwtjes een fel rood gezwollen achterwerk hebben?'

'Ja, nogal een vies gezicht.'

'Wij vinden dat vies Roef, maar voor een aap is dat het toppunt van aantrekkingskracht.

Bij mensen is er een omgekeerde tendens. Hoe kleiner, hoe mooier. Hoeveel vrouwen laten geen correctie toepassen?'

'Waanzinnig gewoon!'

'Is het ook, maar vroeger was het voor mannen ook aantrekkelijk als de vrouwelijke schaamdelen groot waren en flink behaard. Het bos kon niet groot genoeg zijn. Maar er is kennelijk iets veranderd.'

'Ha, ha, ha, jij hebt ook overal een spannend verhaal bij!'

'Ja, maar het is wel zo. Onder moet het klein en kaal zijn en boven groot.'

'De borsten bedoel je!'

'Ja, de borsten. Mannen houden van grote borsten. Dat bedoelde ik net, dat mannen niet op functionaliteit uit zijn, maar meer op uiterlijkheid. Heb jij wel eens een aap met grote borsten gezien?'

'Hoe kom je daar nou weer op?'

'Ik bedoel het serieus. De borsten van een aap zijn alleen maar een beetje gezwollen als zij een 'kleintje' melk geeft. Daarna hebben die borsten geen functie meer.'

'Bedoel je daarmee dat vrouwen alleen maar grote borsten hebben om mannen aan te trekken en dat dat niet in dienst staat van de voortplanting?'

'Juist, je begint het te begrijpen. Het wordt meer als speeltuig gebruikt dan met als doel voortplanting. En zo is het ook met de vagina. Daar wordt meer mee gespeeld, dan dat het gebruikt wordt voor de voortplanting.'

'Dus dan gaat het meer om de schoonheid dan om de functionaliteit!'

'Ja, maar om op Cosimo terug te komen. Zijn vrouw Marguerite werd de deur uit gezet en ging naar Parijs. Daar gaf ze zich over aan uitspattingen. Misschien wel om haar frustraties af te reageren vanwege het feit dat ze uitgehuwelijkt was en dat ze het bed moest delen met een afzichtelijk heerschap.'

'Wat dat betreft hoef je niet jaloers te zijn op de adel.'

'Nee en ik weet niet of de buitenechtelijkheden konden goed maken wat men op echtelijk gebied te kort kwam.'

'Met Ferdinand, een zoon van Cosimo ging het ook niet goed op liefdesgebied. Hij werd uitgehuwelijkt aan een Beierse prinses. Tijdens het carnaval in Venetië ging hij vreemd met een overspelige adellijke dame. Hij liep syfilis op. De overspeligheid begon de Medici zo langzamerhand te gronde te richten. De bloedlijnen liepen te dicht langs elkaar.

De fenotypische eigenschappen, dat wil zeggen de uiterlijke verschijningsvormen van de genen, werden onuitroeibaar. Syfilis had een dermate aftakeling te weeg gebracht onder de genen, dat de inferieure eigenschappen een uitweg zochten naar de oppervlakte. Inteelt liet zich van zijn slechtste kant zien via de Habsburgse lijn. Slappe dikke lippen, hangende oogleden, een enorme neus. Ze hadden hun erfelijke massa verkwanseld.'

'Kunnen ze dat nog herstellen denk je?'

'Misschien…, als ze niet door waren gegaan met inteelt. De laatste der Medici heeft het helemaal bont gemaakt. Gian Gastone ging zich te buiten aan alcohol en orgiën. Hij was geïnteresseerd in jonge schandknapen, liefst een bed vol. Hij bracht zijn tijd door in bed, boerend, scheten latend, kotsend en copulerend met jonge mannen. Soms was zijn delirium zo zwaar, dat hij alles liet gaan, van boven en van onder. Niemand ruimde het op. Zelf was hij volkomen onmachtig en te lui om het te doen. Met sterke rozengeur probeerde men de stank te verdrijven.'

'Dat is een vies verhaal zeg!'

'Heel vies, maar er is geen woord gelogen. De 'ruspanti' vermaakten hem dag en nacht. Hij stierf tussen het braaksel, fecaliën, en zijn geliefde honden.'

'De honden lagen ook in bed?'

'Ja.'

'Allemachtig!'

'De Medici' waren aan verval ten onder gegaan en hun gebieden werden bij het Habsburgse Rijk ingelijfd. De eens zo roemrijke dynastie was niet meer. 'Ballen', waarmee de Medici hun gebouwen opsierden ten teken van macht, heeft men verwijderd. De 'ballen' waren aan decadentie ten onder gegaan.'

'Jij kunt smeuïg vertellen!'

'Ja Roef, dat is mijn beste kwaliteit, zeggen ze.'

Monteriggioni

Om niet ten onder te gaan aan de machtswellust van Firenze, bouwde Siena een vesting met veertien torens. Van daaruit kon men de vijand zien aankomen. Toch moest Siena op den duur bezwijken onder de kracht van Firenze. Logisch, omdat Firenze geholpen werd door Filips II.

Filips II wilde de macht in zijn hele gebied centraliseren. Ook de Hollanders hebben te lijden gehad van dit heerschap.

We zochten deze plek op vanwege zijn magische ligging in de lieflijke Toscaanse heuvels.

Terwijl we Monteriggioni naderden met de auto, zagen we de muren met de veertien torens prominent uitsteken boven het landschap. De torens reiken als handen naar de hemel en smeken om hulp. God help ons tegen de aanstormende onderdrukkers. Waarom moet dit vreedzame tafereel met zo veel bloed overgoten worden, dat de aarde rood kleurt?

Met onze vrienden Roef en Riek drinken we een glas bier op het plein van Monteriggioni.

Op enkele toeristen na, die enig geluid produceren, heerst er absolute stilte. We laten alles tot ons doordringen en begrijpen het niet. Genietend van iedere slok bier beseffen we dat Dante Aleghieri hier ooit gezeten had. Op een stoel misschien? Wie zal het zeggen. Deze hemelse plek werd ooit een hel. Dante schreef er over en vergeleek de torens met de giganten die hun torso boven de bron uitstaken toen hij aan de rand van de afgrond kwam, nadat het einde van het donkere woud naderde.

Als we richting auto wandelen kijken we met indringende blik naar de vulkanische aarde van Monteriggioni. Ik laat mijn vingers door de aarde gaan, die nu zo vredig is, maar ooit het toneel was van bloedvergieting. 'Toccavo la storia con le mani' (Ik raakte de geschiedenis aan met mijn handen.) Een handvol aarde had ik en maalde het fijn tussen mijn handpalmen.

Het stof blies ik weg. Veertien zaden bleven er in mijn hand liggen, zaden van de pinus. Ik nam ze mee naar huis, plantte ze in een rode pot van gebakken klei. De zaden kwamen dicht tegen de rand te liggen, in een cirkel. Alle veertien kwamen ze op.

'Wat mag dat voorstellen?', vroeg Roef, toen we een jaar later op een warme zomeravond een glas wijn dronken op ons balkon terwijl hij naar de pot met pinussen wees.

'Dat is Monteriggioni Roef. Zie je de veertien torens?'

'Ongelofelijk, wat een fantasie heb jij!'

'Klopt, mijn hele leven heb ik daar meer last van gehad dan gemak. Hopelijk heb ik er nu wat meer gemak van!'

Elba

Hoe gruwelijk zou het oord moeten zijn, waarheen de man verbannen was, omdat hij heel Europa op zijn grondvesten deed schudden? Napoleon, de kleine man met zulke grote daden.

Ordinaire boef, egotripper, held, oorlogsmisdadiger, bestrijder van de absolute macht of verdediger van de ideeën van de Franse Revolutie?

Hoeveel mensen mogen er sterven om de droom van één man te verwezenlijken? Met eigen ogen wilden we aanschouwen hoe vreselijk de plek zou zijn, waar de kleine man voor straf heen moest.

Napoleon mocht kiezen waar hij heen wilde: Elba, Corsica of Corfu. Hij verkoos Elba boven zijn geboorte eiland Corsica. Corse heette het, toen het nog in Italiaanse handen was. Napoleon mocht de keizerstitel behouden en achthonderd vijftig man hofhouding stonden hem ter beschikking in de vorm van infanteristen en cavaleristen. Keizerlijk werd Napoleon ontvangen met kanongebulder. Zou men onbewust nog steeds geloven in de goddelijke macht van deze man? Was deze ontvangst een uiting van respect of van angst die hen dwong dit te doen? Een passend gebouw mocht hij zelf uitzoeken. Hij selecteerde op veiligheid. Palazzo dei Mulini werd het in Portoferraio. Vandaar had hij een weids uitzicht over de zee. Het is een exotisch oord en Napoleon zal zich hier zeker niet ongelukkig hebben gevoeld. Bij uitnemendheid was het een plaats waar hij kon overdenken wanneer en hoe hij terug zou komen als keizer, om Europa voor goed op de knieën te dwingen. Aan alle wensen van Napoleon kwam men tegemoet. Hij verbeterde het wegennet, de verdediging en de economie. Hij bleef keizer al was het maar op een klein eiland. Zelfs zijn familie mocht hem vergezellen. Het keizerlijke leven ging gewoon door. Grootse feesten werden gehouden, met keizerlijke grandeur. In alle opzichten maakte Napoleon de dienst uit en om aan te tonen dat aan zijn goddelijke grootheid nog geen einde gekomen was, liet hij een paleis bouwen: Villa Napoleonica.

In Piombino namen we de boot naar Elba. Vanaf de kust konden we het eiland zien liggen. Heel wazig tekende het zich af. Achteruit rijdend moesten we de auto parkeren in het ruim van het schip. Eerst dachten we dat het grap was, maar het bleek ernst. Al eerder was ons gebleken dat Italianen niet altijd uitblinken in het organiseren van iets. Georganiseerde chaos.

Op het dek werden we omringd door blauw. We werden verzwolgen in het azuur van lucht en water. In Rio Marina eindigde de reis per boot. Gelukkig mochten we vooruit rijdend de boot af. Rio Marina ligt lieflijk tegen de bergen. Zo snel mogelijk zochten we een mogelijkheid om te 'piekenieke.' Bij Cavo, ten noorden van Rio Marina parkeerden we de auto en zochten een plaats op het zwarte strand. Zwart zijn veel Italiaanse stranden ten gevolge van de vele vulkanische uitbarstingen. De wegen op Elba glinsteren, alsof er glas in verwerkt is. De oude ijzerfabrieken liggen er allemaal haveloos bij. Veel tijd was ons niet gegund want we wilden Elba doen in een dag en de laatste boot vertrok om negentien uur. Eindeloos mooie wegen slingerden ons omhoog en omlaag. Omgeven waren we door en ongekende bloemenpracht. We waanden ons in het paradijs. Af en toe reden we langs de afgrond en keken honderden meters de diepte in. Slechts een vangrail scheidde ons van de eindeloze diepte, die eindigt in de zee. Even later aanschouwden we de plek, waar Napoleon zijn domicilie had: Villa Napoleonica. 'Klein Versailles' werd het genoemd en dat was ook het eerste waar ik aan dacht.

Aandachtig neem ik het paleis in me op en denk: 'Wat zou het fantastisch zijn om naar dit oord verbannen te worden, te wonen in een paleis, de regie te hebben over het bestuur. Ik zou nooit meer weg willen. Gevangen in het 'paradijs'. Zou dit het paradijs zijn waar men het altijd over heeft?'

'Wat vind je er van Roef?', zei ik.

'Niet te overtreffen, adembenemend.'

Enkele Italianen naderen ons. Hun aandacht gaat vooral uit naar de hond.

'Perche ridete?' (Waarom lachen jullie?) vraag ik hen.

Ze blijven lachen en wijzen naar onze hond Donna.

'Vive ancora' (Hij leeft nog), zeggen ze.

'Wie leeft er nog?', vraag ik ze.

'Napoleone!', en ze wijzen naar Donna's oren.

'Guarda gli orecchi!' (Kijk naar de oren!)

'Ho capito' (Ik heb het begrepen), zei ik en wees naar de dwars staande oren van onze hond.

'De oren lijken op de hoed van Napoleon!'

'Si si si!'

Ze lopen door, kijken nogmaals om en roepen: 'Ciao Napoleone!'

'Vertel eens wat over Napoleon', vroeg Riek me.

'Is goed', zei ik.

'In het geniep probeerde Napoleon zijn geliefde te ontvangen, de Poolse gravin Walesca met hun kind.'

'Ook hij gedroeg zich dus als een edelman met zijn overspelige gedrag', zei Riek.

'Ja, hij had adellijke neigingen gekregen. Wat dat betreft was hij geen haar beter.'

'Het bezoek wordt echter niet geduld. Ze wordt gedwongen het eiland te verlaten. Napoleon was immers gehuwd met Marie Louise, de dochter van de keizer van Oostenrijk.

Marie Louise mocht Napoleon niet bezoeken van haar vader. Na een verblijf van minder dan een jaar ontvluchtte Napoleon het paradijs om nog eenmaal de macht te grijpen voor honderd dagen. Napoleon vond zijn Waterloo en werd verbannen naar Sint Helena.'

We rijden verder in de auto en komen langs Marciana. Op zeshonderd dertig meter hoogte zitten we en kijken de blauwe diepte in.

'Hier moet Napoleon op een rots gezeten hebben, 'l Aquila' en gezegd hebben: 'Wat heb je meer nodig dan schaduw en water om gelukkig te zijn!'

Voor mij zou het genoeg zijn in dit paradijselijke oord. Waarschijnlijk kende Napoleon het woord 'genoeg' niet.

We moeten ons haasten om op tijd terug te zijn voor de boot. Groot is de afstand niet maar de weg kronkelt, klimt en daalt. Af en toe zit er een tractor voor ons of een 'Api' (driewieler), die maar niet op willen schieten. 't Liefst zou ik het gaspedaal intrappen tot op de bodem, maar ik ben niet de chauffeur. We worden nerveus want we dreigen de boot te missen. Gelukkig komen we om klokslag negentien uur bij de boot aan. We mogen nog mee. Amper zijn we op de boot of de deuren vallen dicht. We slaken een zucht van verlichting. Bijna werden we het slachtoffer van een verplichte verbanning op Elba.

Het is al vroeg donker als we in de auto stappen. Aangenaam is de terugweg niet. Van het vriendelijke landschap is niets te zien in de duisternis. Geen girasoli, geen cipressen. Maar het was allemaal de moeite waard.

Als we op de camping aankomen is het ondertussen al laat in de avond. De krekels verwelkomen ons met hun snerpende geluiden. Behalve het flauwe licht van enkele lantaarnpalen krijgen we bijverlichting van talloze vuurvliegjes. Nooit had ik er zoveel gezien. Als we bij de caravan terug komen worden we enthousiast begroet door Betsy en haar vrienden.

'Kom er nog even bij zitten, dan schenken we een heerlijke "Chianti" voor jullie in!'

Dat laten we ons geen twee maal zeggen na zo'n lange rit en we schuiven aan.

Betsy haast zich om naast me te komen zitten.

'Proost, op Elba!'

'Hoe was het daar?'

'Geweldig. Zelden zijn we op zo'n mooi eiland geweest en kan ik het jullie van harte aanbevelen. De natuur is imposant en de historie ook.'

'Dus denken jullie dat we er geen spijt van krijgen als we het eiland zouden bezoeken?'

'Absoluut niet!', zeiden we in koor.

Terwijl ik het een en ander over Elba begin te vertellen, voel ik dat Betsy niet alleen geïnteresseerd is in mijn verhaal. Zij schuift haar stoel tegen de mijne aan. Waarschijnlijk wilde ze niets van het verhaal missen. Ik krccg het gevoel dat zij de geschiedenis met haar handen wilde aanraken. Zij overschreed de cirkel van de zakelijke afstand. Dat was geen probleem met iemand waarmee je 'Chianti' drinkt. Zelfs het passeren van de grens van de persoonlijke cirkel kan plezierig zijn, bevorderend voor de conversatie. De laatste barrière, de intieme cirkel kwam dichtbij. Ik vond het komisch en onbehaaglijk tegelijkertijd. Moest ik het verhaal wat minder spannend vertellen of had het er niets mee te maken?

'Kom, ik ga mijn tanden poetsen en naar bed', zei ik. 'Eerst nog even met de hond naar het veld.'

Toen ik enkele minuten later aankwam op het veld, zat Betsy daar.

'Dag Betsy, ook hier?'

'Ja, ik vind het heerlijk om voor het slapen gaan nog even naar de sterren te kijken en te genieten van de stilte en het geluid van de krekels.'

'Dat is ook heel mooi Betsy.'

'Overmorgen gaan we naar Elba. We zijn er nu zo dichtbij! En na hetgeen je verteld hebt, moeten we er wel heen!'

'Geef je me nu niet te veel eer Betsy?'

'Nee hoor, het was indrukwekkend.'

'Jouw verhaal over Siena vond ik ook indrukwekkend.'

'Ja.'

Ze keek me diep aan en vervolgens keek ze weer naar de sterren.

'Welterusten Betsy.'

'Welterusten.'

9

Lago di Trasimeno

We hadden de streek bij Siena behoorlijk uitgekamd. Onze vrienden waren vertrokken. Verlaten als we ons voelden, wilden we weg van deze plek. Trasimeno, het meer waar de beruchte Hannibal had huisgehouden tegen de Romeinen. Daar zouden we eens gaan kijken. Het was slechts enkele uren rijden van Siena.

Onderweg gingen Roef, Riek en Betsy nog voortdurend door ons hoofd. Wie weet wie we in Trasimeno weer zouden ontmoeten. Nieuwe mensen ontmoeten kan spannend zijn. Ga met een ander stel op pad en je gezelschap blijft beperkt tot die compacte groep. Het is meer uitnodigend om je aan te sluiten bij een koppel. Na enkele uren kwamen we aan in Castiglione del Lago. Het is een ommuurde vestingstad zoals er zo veel zijn in Italië.

Een gevoel van desolaatheid omgaf ons. Was het misschien geen hoogseizoen? Er was immers geen sterveling te zien. Alles gaf een sfeer van verlatenheid af. Lege restaurants, lege stranden, lege winkels. Dit hadden we nooit eerder meegemaakt. Er was ook een voordeel aan: we hoefden ons geen zorgen te maken dat er geen plaats zou zijn. Lystro heette de camping. Slechts tientallen mensen stonden er. Amper hadden we de caravan geplaatst of een vreemde gewaarwording viel ons ten deel: duizenden vliegen voelden zich aangetrokken tot onze gele aanhanger. Was het daar zo warm of juist zo koel? In ieder geval was het voor hen de meest aangename plaats. Nooit eerder heb ik de caravan zo snel van kleur zien veranderen. Hopelijk zouden het niet de plaaggeesten voor onze vakantie worden. Het meer had een zeer lage waterstand. Om te zwemmen moest een behoorlijke afstand overbrugd worden. Op zich zou dat niet erg geweest zijn, ware het niet dat je tientallen meters door een dikke blubberlaag moest. Behalve dat kwam er een akelige stank uit het water. Het rook naar vis en niet zo'n klein beetje. Om je lekker te verfrissen was het water niet geschikt. Na een bad in het meer zou je verplicht worden alvorens huiswaarts te keren, een omweg via de doucheruimte te nemen. Het was ook logisch. Naar ik me liet vertellen was de zomer zo droog, dat de boeren constant hun akkers bevloeiden met Trasimeno-water. Voor de vissen bleef er op die manier niet al te veel ruimte over. Het meer heeft aan mij dan ook weinig plezier kunnen beleven. Op de vraag aan de campingbaas hoe het kwam dat het zo rustig was kreeg ik het antwoord: 'De Italiaan gaat er steeds verder op achteruit. De slechte jaren zijn aangebroken. Talloze luitjes kunnen een vakantie niet meer betalen.' Ik geloofde hem onmiddellijk. Alles zag er troosteloos uit en het zou ook niet meer goed komen die vakantie. Het leek wel of we in de winter op vakantie waren wat bedrijvigheid betrof. Wat moet je in een restaurant waar niemand zit? Wat moet je op een strand waar niemand ligt? En in de modder ligt niemand voor zijn plezier. Ook wil niemand naar karper stinken na een duik in het water. Onze eerste indruk over Trasimeno was matig. De campingbaas beloofde er alles aan te doen de zaak wat op te vrolijken. Helaas zijn wij mensen die zichzelf goed kunnen vermaken en die zeker niet door anderen vermaakt willen worden.

Maar het voorstel van de baas een barbecue te organiseren was niet onsympathiek. Wat dat betreft was het de eerste avond meteen raak. Enkele families schoven 's avonds aan, aan een lange tafel. Kolossale barbecues waren klaar gezet en het was niet moeilijk om met mensen in contact te komen. Het was een betrekkelijk homogeen gezelschap. Het bestond uit mensen die op zoek waren naar cultuur.

'Bent u voor het eerst hier?', vroeg een jongedame me.

'Ja', ik heb al zoveel gelezen over Hannibal, de Afrikaanse legeraanvoerder, die leefde voor Christus, dat ik het strijdperk eens wilde bekijken, waar hij zoveel Romeinen de dood ingejaagd heeft', zei ik.

'Dat is hier vakbij gebeurd, in de buurt van Cortona, om precies te zijn bij Tuoro.'

'Dat weet ik', zei ik. 'Het is mijn vak!'

'Mijn vader was classicus', zei de jongedame. 'Hij heeft een boekje vertaald uit het Latijn, speciaal over de veldslag van Hannibal bij Trasimeno.'

'Interessant', zei ik.

'Wilt u er een!'

'Graag!'

Ze overhandigde me het boekje. Veel nieuws stond er niet in voor me, want ik kende de geschiedenis. Toch was het een aardig detail in de vakantie. 'Gaan we morgen meteen bekijken', zei ik tegen de dame. Ondertussen werd het behoorlijk gezellig. De 'Chianti' was van behoorlijke kwaliteit en de vis, karbonade, salade en spaghetti werden voortdurend aangeleverd. Het lamplicht, geholpen door het licht van de maan, gaf voldoende helderheid voor de juiste sfeer. Af en toe werd het licht enigszins vertroebeld.

Ik richtte mijn blik naar boven om te zien of er wolken waren die de pret wilden bederven. Maar het waren muggen. Zo veel muggen dat ze wolken vormden die voor een halve verduistering zorgden. Nooit had ik zoveel muggen gezien. Muggen waren een reden voor me een plek te mijden. Altijd had ik het gevoel, dat ze veel van me hielden, de muggen,meer dan van anderen. Steeds fungeerde ik als bliksemafleider voor de hele groep. Waren we met zijn vieren, dan werd ik gestoken en de anderen niet. Mijn hele vakantie konden ze bederven. Gek werd ik van dat gezoem, van de aanhoudende aanvallen op mijn onschuldige lijf. Het bevreemdende was, dat ze niet staken…, maar welkom waren ze niet. Als ik de afwas ging doen en een bord afspoelde… flats! Zwart was het bord. We kwamen in de late uren terecht en besloten onze zwermen vrienden te verlaten. De volgende dag naar Tuoro.

Buona notte!

10

Sanguineto (Slachtveld) Toscane

Hannibal. Hij was de schrik van alle Romeinen en zijn plan was hun een lesje te leren. De Carthagers hadden een groot rijk opgebouwd dat zich uitstrekte over Noord-Afrika en bijna geheel Spanje. Zij waren een handelsvolk, dat de Middellandse Zee beheerste. Dit volk kwam in conflict met de Romeinen die bezig waren hun imperium te vergroten.

Lange tijd wist de beroemde veldheer het de Romeinen zeer moeilijk te maken.

Af en toe werden de Romeinen zelfs vernietigend verslagen.

Beroemd is het feit dat Hannibal met zijn olifanten de Alpen overtrok en daar de Romeinen vernietigende nederlagen toebracht.

Het Romeinse Rijk besloeg op dat moment niet veel meer dan de iets verkleinde 'laars' van nu. Veel Italiaanse steden waren bang voor Hannibal.

Sommige steden kozen voor Hannibal. Andere steden kozen voor de Romeinen.

Lastige keuze is dat voor de mensen. Voor wie kies je?

Uiteindelijk waren de Romeinen ook overheersers voor andere steden dan Rome.

Romeinen waren echter niet zo overheersend voor Italiaanse steden. Meestal gooiden ze het op een akkoordje. Slechter ben je dan ook af indien de overheerser van verre komt.

Sommigen kiezen voor de overwinnaar, of voor de mogelijke overwinnaar. Moeilijk kiezen. Achteraf kan een verkeerde keuze heel vervelend uitpakken.

We naderden de punt van het meer en zagen de bordjes al staan met de kop van Hannibal. Vreemd, een volkje dat bordjes langs de weg plaatst als aandenken van wat ooit een brute overheerser van hun volk was. Raar volkje die Italianen. Bij ons zie ik het niet gebeuren dat in de buurt van Rotterdam bordjes staan met de beeltenis van een besnorde man, die ons wijzen in de richting van het vernielde Rotterdam. Het zal wel een denkfout van me zijn. Italianen bewaren hun historie nou eenmaal graag, met alle voor en nadelen op de koop toe.

Bij Tuoro moesten we de weg af. We reden een klein landweggetje in tot aan een parkeerplaats. We volgden de bordjes met de foto van Hannibal.

De weg ging in de richting van een bergpas. Hier en daar stond een huisje.

Bij een van die huisjes stopten we. Hier moest het gebeurd zijn: Il Saguineto, het bloedbad. Vijftienduizend Romeinen die hier de dood vonden. Hannibal lag in een hinderlaag in de bergen. Het was mistig. De Romeinen kwamen Hannibal tegemoet en werden plotseling verrast. De Romeinen die beroemd waren om hun onverslaanbare slagordes, hadden geen tijd om hun slagordes te organiseren en vanuit de grote chaos werden ze verpletterend verslagen. Talloze Romeinen wisten te vluchten in de richting van het meer van Trasimeno. Ze werden achterhaald door de soldaten van Hannibal en alsnog vermoord. Het meer zou volgens de overlevering bloedrood gekleurd zijn… Terwijl de geschiedenis van het boekje nog even door me heenging kwam er plotseling een oud mannetje uit het huisje voor ons.

Hij naderde ons en vroeg:

'Que cosa fate qui?' (Wat doen jullie hier?)

'Wij komen hier om de sfeer op te snuiven van de veldslag van Hannibal.'

'Interessante,' was zijn commentaar.

De man had slechts een hand.

De andere hand bestond uit een ouderwetse haak. Misschien ook in een veldslag verloren. Komisch in deze situatie. Kom je bijna niet meer tegen. Tegenwoordig zijn er middelen in de handel die esthetisch meer verantwoord zijn.

'Ik zal u de geschiedenis van Hannibal vertellen', zei hij. Ik gunde hem dit pleziertje en liet hem enthousiast zijn gang gaan. Hij stak van wal en vertelde met heel zijn lijf, zoals we van Italianen gewend zijn. Een Italiaan vertelt geen verhaal… hij zingt het!

Een Nederlander vertelt gemiddeld genomen veel vlakker. Een Italiaan vertelt met grote verschillen in toonhoogte. Zelfs één woord kan vijf toonhoogtes hebben. Zijn er vijf Italianen, dan zijn er vijf aan het woord. Allen schreeuwen om het hardst. Als je pech hebt dan staat de TV ook nog aan op de achtergrond. Ook die staat te schreeuwen. Dat schijnt er bij te horen als decor. Op die manier staan er zes tegelijk te schreeuwen. Een compleet orkest. Allemaal spelen ze een ander liedje.

We luisterden aandachtig naar de oude man tot het verhaal af was, bedankten hem voor de informatie en schudden elkaar de hand.

'Arrivederci signori, mille grazie!'

Voldaan keerden we terug naar de camping. Toen we terugkwamen van vakantie, zette ik de TV aan en wat zag ik tot mijn verbazing?

De uitzending ging over Hannibal in de slag bij het Trasimeno meer.

Een zeer geestdriftig mannetje stond de geschiedenis te vertellen:… het was ons mannetje.

11

Franciscus

Drijfnat kwam ze uit het naar vis stinkende water. Ze liep naar me toe om het stokje terug te brengen dat ik in het water geworpen had. Steeds weer had ze er plezier in om het stokje op te halen, zelfs als ze doodmoe was.

Ook ik kon er geen genoeg van krijgen. Het fanatisme, waarmee ze mij dwong de stok wederom in het water te smijten, kende geen grenzen. Als een computer was ze geprogrammeerd. Haar scherpe blik dwong mijn hand.

Deze blik kon ik niet weerstaan. Mijn hand kwam altijd tegemoet aan haar wensen

Als een streep volgde ze het voorwerp dat ik weg smeet. Ik beleefde net zo veel plezier aan het spel als mijn Border Collie. De hond - object relatie was sterker, dan de hond - baas relatie. Mij bekroop het gevoel dat ze een hond van iedere baas kon zijn , mits hij maar met objecten gooide. Haar liefde voor de baas stond in directe relatie met wat de baas deed met haar. In die zin was de liefde voorwaardelijk. Zou mijn liefde voor haar onvoorwaardelijk zijn? Ik geloof er niet zo in, de liefde van een mens van een hogere orde te zien, dan die van een dier. Ook mensen zijn instrumenteel in hun keuzes van vrienden. Een vriend om mee te tennissen, één om mee te bridgen, één om mee te voetballen.

De ander wordt slechts gebruikt om al deze zaken mee te doen. Zodra de club of sport als bindmiddel weg valt, is de liefde voorbij. Van een dier kunnen we het begrijpen, verwachten we niet anders. Van een mens verwachten we dat hij zich boven het instrumentele kan stellen. Om die reden is het verstandig het verwachtingpatroon laag te stellen, zodat de teleurstelling ook niet tegen zal vallen.

'Donna…!'

Mijn hand ging omhoog met de stok, terwijl ik mijn lichaam in een bepaalde richting draaide. Als een golfbal zette ze de sprint in en bleef versnellen tot de waterrand om vervolgens met een dolfijnenduik in het water terecht te komen. Ik genoot van deze krachtsexplosie en de sierlijkheid waarmee ze bewoog.

Mijn fascinatie voor snelheid werd voortdurend bevredigd. Bang werd ik soms van mijn bizarre gedachten meer van dieren te houden dan van mensen. Zeker wist ik dat ik meer hield van mijn dier dan van vele mensen die ik kende. Het was een gedachte die ik maar beter voor me kon houden. Men zou me voor een dwaas of een gek aan kunnen zien. Mensen stellen zich immers in ver boven de dieren! Hoe durven ze. Spelen niet alle levende wezens een even belangrijke rol in het leven? Ook de mens was ooit misbaar. Zij zijn het laatst ontstaan, door toeval en niet meer dan dat.

Ik kijk naar mijn hond, die zwart van de modder is en me blijft dwingen. Weer zwiep ik de stok weg, zo ver mogelijk, om voorlopig van haar af te zijn. Ze zwemt ver weg van me, het groene water in. Terwijl ik haar na-tuur, ga ik zitten op het blubberige strand en zie in de verte een eiland.

Dat is het eiland waar Franciscus van Assisi veertig dagen heeft doorgebracht in volstrekte armoede.

Hij wilde in dezelfde eenvoud leven als Jezus. 'Vasten' in de meest absolute vorm die een mens kan weerstaan.

Bijna een uitdaging aan de 'dood'. Ik begon na te denken over Franciscus, zijn afkomst, het moment waarop hij besloot te leven als monnik, maar dan wel in superlatieven. Leven in devotie, ascese. Belofte doen van armoede, zuiverheid en gehoorzaamheid. Hoe kon een mens tot zo iets komen? Mensen willen meer, en meer, en meer. Aanzien door kapitaal, bezit van huizen, auto's. Dat is wat telt in de wereld. Men wordt afgemeten aan deze dingen. Weinigen worden afgerekend op hun geestelijke rijkdom.

De absurde gedachte gaat door me heen, dat ik bijna al mijn rijkdom heb achter gelaten, al mijn luxe, om dat enkele weken in te ruilen voor een primitief leven, helemaal vrijwillig. Mij wordt duidelijk, dat een mens niet veel nodig heeft om gelukkig te zijn, zeker geen materiaal.

Wat kon Franciscus er toe bewogen hebben te kiezen voor een leven, dat zo geestelijk was, zo ontdaan van iedere materie? Hij dreef het zo ver door dat hij het bijna met de dood heeft moeten bekopen. Kiezen voor eenvoud was een makkelijke keuze in deze vakantie, wetende dat de luxe weer op me stond te wachten. Maar kiezen voor de eenvoudigste vorm van leven als levensvorm? Een leven zonder geneugten? Voortdurend de innerlijke driften moeten beteugelen en voor wie? Ik probeerde Franciscus tegen een achtergrond te plaatsen.

Een achtergrond waartegen zijn drijfveren zich konden afzetten. Zou hij uit een arm of uit een rijk milieu komen? was mijn vraag. Het antwoord lijkt makkelijk, maar is het niet. Je zou zeggen dat degene die armoede gewend is daar makkelijk mee kan leven, maar het tegendeel is waar. Armen streven naar meer rijkdom en materiaal. Materialisme heeft de mens jaloers en begerig gemaakt. Hebberigheid wordt bepaald door de omgeving. In een omgeving waar niemand iets heeft kan men gelukkig zijn met niets. Zodra anderen iets bezitten, dan streeft men dit ook na. Franciscus kwam dan ook uit een milieu van rijke middenstanders. Ook zijn latere volgelingen waren rijk en gestudeerd. Franciscus was tegen gestudeerdheid, omdat men met studie zich immers boven een ander kon stellen en dat paste niet bij de volstrekte eenvoud van het leven zoals hij voorstond. Maar de rijke volgelingen waren tot de conclusie gekomen, dat een leven zonder bezit, in welke vorm dan ook, een keuze was voor God.

Mijn hersenen werden gepijnigd toen ik op het strand zat en vroeg me af:

'Wie is die God? Waar is hij? Is hij in mij, of is hij buiten mij?'

Ik kon me er moeilijk een voorstelling van maken en besloot dat God een creatie is van mensen en niet andersom. Wonderlijk vond ik het dat Franciscus in diep contact kon komen met de dieren.

Het verhaal gaat dat Franciscus kon spreken met de dieren: een krekel, een wolf, een vogel.

Franciscus kon praten met de dieren? Zouden dat sprookjes zijn? Of was hij een soort 'horsewhisperer', maar dan voor vogels, krekels en wolven?' Ik begon na te denken over mijn eigen 'horsewhisperer' kwaliteiten om vervolgens te bepalen of ik de verhalen over Franciscus die in diep contact stond met de dieren tot het rijk der fabelen zou verwijzen ofwel dat ik ze zou aanvaarden als waarheid.

'Zo meisje ben je daar weer? Pak nou maar eens een ander stokje!'

Ze keek me aan en dacht waarschijnlijk: 'Is deze stok niet goed?'

'Nee, niet deze stok…, die!'

Ze pakte de andere stok, waar naar ik wees.

Het eerste bewijs, dat dieren ook mensentaal verstaan, was geleverd.

Weer stond ze voor me en keek me strak aan.

'Los', zei ik en ze liet het stokje vallen. Haar ogen priemden dwars door me heen met de gebiedende eis: 'gooi weg die stok'. Ik vond het een opperste vorm van communicatie.

'Baasje heeft genoeg van de stok!' Ze keek me aan. Naast me stond een mandje met andere objecten.

'We gaan met andere dingen spelen. Ga naar je mandje!'

Ze ging naar het mandje, draaide haar hoofd in mijn richting om het volgende bevel op te volgen.

In het mandje zaten: een gele bal, een rode bal, een kabouter en een dik stuk touw.

'Pak de kabouter!', zei ik.

Ze pakte de kabouter.

'Pak de bal!'

Ze deed dat.

'Andere bal!'

'Pak het touw!'

Terwijl ze het touw in de bek had keek ze me weer strak aan.

'Nu gaan we naar het vrouwtje!', zei ik.

Plof..., daar lag het touw. Ze keek me niet meer aan. Genoeg gepraat.

Voor mij waren het zuivere bewijzen, dat mijn hond en ik dezelfde taal spraken. Om die reden werd Franciscus ondere andere heilig verklaard en vieren wij op vier oktober 'Werelddierendag', omdat Franciscus op die datum gestorven is. Hij werd ook de beschermheilige van de dieren.

We bezoeken de plek waar Franciscus in alle eenvoud heeft geleefd: Santa Maria degli Angeli. Nu is het een plaatsnaam van een plaatsje enkele kilometers verwijderd van Assisi. In de tijd van Franciscus was er een kapelletje dat zo heette. Dicht in de buurt van het kapelletje was een hutje dat gebouwd was van eenvoudige materialen, waar Franciscus in leefde. Later kwamen zijn volgelingen er bij. Het hutje mocht beslist niet van baksteen zijn, want dat was te luxe. In een klein bosje stond het hutje: 'La Porziuncula' dat was de naam van het bosje. Daar kwam Franciscus tot de kern van het leven. Leven in volstrekte armoede en eenvoud. Deze levenswijze zou hij gaan verkondigen onder de mensen. Zijn aanhang groeide en ook het respect. Aanvankelijk wilde men hem nog wel eens uitjoelen, losbol die hij ooit was. Alle menselijkheden waren hem niet vreemd. Feesten, drank, vrouwen en vechten. Vechten was noodzaak in die tijd. Assisi had een aartsvijand aan Perugia. Regionale steden haatten elkaar en bestreden elkaar en met Assisi en Perugia was dat dus ook het geval. Men was dus verplicht een leger op te bouwen. Middenstanders vroeg hem of ze deel wilden nemen in het ruiterleger. Het was een manier om in de ridderstand verheven te worden. Zo moest ook Franciscus de wapens opnemen in de strijd tegen Perugia. Assisi verloor de strijd. Franciscus werd in de gevangenis gestopt. Geluk had hij, dat zijn vader zo rijk was, dat hij na een jaar in de gevangenis gezeten te hebben, vrij gekocht kon worden door hem. Franciscus was ernstig verzwakt, lichamelijk. Zijn geest had een ommekeer te weeg gebracht en vertelde hem dat hij zowel zijn lichaam als zijn geest in dienst moest stellen van God. In het kleine bosje zou hij definitief vaste vorm gaan geven aan de wijze waarop hij de rest van zijn leven wilde doorbrengen. Leven in devotie en ascese.

Dan staan we voor de grote basiliek 'Santa Maria degli Angeli', die men om het kleine huisje van Franciscus heeft heen gebouwd. Er is op dat moment een processie. Lange rijen in witte gewaden schuifelen voorbij. We staan op de trappen van de basiliek en willen naar binnen om het kleine huisje te zien.

Heet is het die dag. De hitte slaat op ons neer. Voor de ingang worden we opgewacht door een kloosterling in een bruin gewaad. De hitte is zo enorm dat mijn vrouw niet al te devoot gekleed is.

'Zo mag u niet naar binnen signora!', zegt de kloosterling.

'Als u uw blote schouders met deze doek bedekt, dan mag u naar binnen.'

'Dat wist ik niet zei ze, schijnheilig.'

Uiteraard wist ze dat men te onbedekt de kerk niet betreden mocht.

'Zal ik u een handje helpen signora?'

'Graag', zei ze en liet de kloosterling zijn gang gaan.

Ik kreeg het gevoel, dat het geen ergernis opwekte bij hem, de te blote hals. Hij had aan de stapel doeken te zien gerekend op een flinke hoeveelheid bloot en was behoorlijk bedreven in het omwikkelen van vrouwenschouders.

'Dank u', zei mijn vrouw, terwijl we aanstalten maakten om naar binnen te gaan.

'Honden zijn niet toegestaan in de kerk!', zei hij.

'Maar meneer', zei ik, Franciscus was toch de beschermheilige van de dieren?'

'Ja, maar uw hond mag toch niet naar binnen!'

'Que peccato', (Wat jammer) zei ik, 'dan zullen we moeten gaan.'

'Ja, dat zal moeten', zei hij met een gezicht waaraan we konden aflezen dat hij de grap niet kon waarderen.

Franciscus gedachtegoed begrijpen is onmogelijk als men een totaal andere gedachtewereld heeft. Van de ene dag op de andere omturnen van een materialist- kapitalist naar een kloosterling lijkt me een onbegonnen zaak. Er moet een proces gaande zijn in je hoofd, dat stap voor stap duidelijk maakt dat het willen bezitten van materiaal een verslaving is, een ziekte waar men niet meer van af komt. Na iedere aanschaf zou men moeten reflecteren hoeveel deze daad een bijdrage geeft aan het geluksgevoel. Wordt het een gewoontezaak, waarbij men geen enkel gevoel van trots of geluk ervaart bij een aankoop, dan kan men een ziekelijke koper worden, die koopt om te kopen. Als daar geen geestelijke rijkdom tegenover staat dan loopt men aan tegen de voosheid van het bestaan, leegte, zinloosheid. Met alle gevolgen van dien. Een schokkende gebeurtenis kan ook een wending geven aan het leven. Tijdens zijn gevangenschap van een jaar te Perugia had Franciscus diep kunnen nadenken over de zin van het bestaan. Had hij de zinloosheid ingezien van rijkdom, vechten, feesten?

Na het kerkerleven wilde Franciscus zich in ieder geval afkeren van wereldse zaken. Een gewoon klooster was hem niet genoeg, te luxe. Extremer moest het zijn. Te veel geld ging er om in normale kloosters. Het zou allemaal veel eenvoudiger moeten. Hoe is het mogelijk dat een mens zich zo kan pijnigen? Zich alles ontzeggen wat het leven leuk maakt, of aangenaam?

Drie geloftes afleggen: van armoede, hetgeen betekende dat je geen enkele vorm van bezit mocht hebben.

De gelofte van gehoorzaamheid, hetgeen betekende dat je trouw was aan god, met lichaam en ziel. En die van zuiverheid. Geen seks dus. Het betekende een leven in absolute eenvoud. Leven zonder vrouw, zonder geld en zonder materiaal. Ik kan me voorstellen dat een persoon die gehersenspoeld is tot een dergelijk leven bereid is. Maar zonder dat en uit vrije wil tot een dergelijke keuze komen, daar lijkt me moed voor nodig. Wat zal het moeilijk geweest zijn voor Franciscus als het moment daar was, en dat is dagelijks, dat zijn opstandige onderlijf hem vertelde dat er werk aan de winkel was. Hij kon bidden wat hij wilde, maar de biologische macht was de goddelijke macht volkomen de baas. Franciscus raakte er zo door in verwarring dat er maar één ding op zat en dat was de ene pijn te verdrijven met de ander. Hij stortte zich in braamstruiken met scherpe doornen. Het bleek de enige manier te zijn om de opstandigheid kwijt te raken. De zwakte van het verhaal lijkt me, dat het een pijnlijke zaak geweest moet zijn dat iedere dag te herhalen. Onmogelijk zelfs. Ik vermoed dan ook sterk dat de meeste kloosterlingen zich stiekem overgaven aan dit ultieme genotgevoel, in de hoop, dat onze lieve Heer een moment van onoplettendheid had.

Ik stel me het volgende voor als een kloosterling in gebed gaat met God als zijn zondigheid hem in de steek laat:

'Heer help me van mijn zondigheid af!'

'Meen je dat serieus Benedictus?'

'Ja Heer, dat meen ik!'

'Nu bega je twee zonden, je bent gedeeltelijk opstandig en je liegt ook nog!'

'Ja Heer, het zal niet meer gebeuren.'

'Gebeurt het binnen vierentwintig uur weer, dan kom je in de hel. In een orgie zul je terecht komen.'

'Ja Heer, dat begrijp ik.'

'Is dat wat je wil?'

'Nee Heer, dat wil ik niet.'

'Je liegt, dus je komt alsnog in de hel, begrepen?'

'Ja Heer, dank u wel.'

Nodig is het niet de plek te aanschouwen waar Franciscus is op gegroeid om iets van hem te begrijpen.

Assisi is een bedevaartsoord geworden en een toeristische trekpleister van jewelste. Iedere steen van Assisi ziet er vanwege financiële inkomsten zo gaaf uit, dat het lijkt alsof ze stuk voor stuk zijn op gepoetst door de plaatselijke schoenmaker. Te fraai, te veel volk en te veel souvenir stalletjes. Neemt niet weg dat het de moeite waard is een oord te bezoeken, dat door de hele wereld gezien wil worden.

Assisi ligt tegen een berg aan. Van verre zie je het al liggen, komend vanuit een dal. Uiteraard willen we de 'Benedenkerk' en de 'Bovenkerk' zien, die ter ere van hem gebouwd zijn: 'de San Francesco'. De wanden zijn opgesierd met schilderwerken van grootheden als Cimabue en Giotto. Ook is er de tombe te zien waar de resten van Franciscus liggen.

Voor de ingang naar de kerk is een muurtje. Het is laag en talloze toeristen gebruiken de muur om een momentje uit te rusten Een viertal jonge meisjes maakt ook van die gelegenheid gebruik en trekken met hun luidruchtige conversatie de volle aandacht. Enkele Franciscaner monniken ontgaat het tafereel niet. Wat ze niet beseffen is dat de meisjes om hen lachen. Onder de bruine pijen komen stonewashed spijkerbroeken uit.

Zij kijken in de richting van de meisjes en hebben het er over. Ik sta vlak bij hen en waarschijnlijk hebben ze niet in de gaten dat ik hun taal begrijp. De rokjes van de meisjes zijn ver omhoog geschoven en geven een riant uitzicht op hun dijen. De kloosterlingen praten enigszins opgewonden over 'de weg naar het paradijs' en vertonen een nogal vette glimlach terwijl ze naar de meisjes kijken.

Ik wist zeker dat ze voor één moment de drie geloftes vergeten waren. Misschien hoopten ze het goed te maken met bidden. In ieder geval waren er geen braamstruiken in de buurt. Waarschijnlijk wisten ze dat.

Ik heb het ze maar vergeven.

De volgende dag bezochten we Cortona.

Als een adelaarsnest ligt het tegen de bergen aan geplakt. De weg er heen is zo steil dat het alleen mogelijk is er te komen via vele haarspeldbochten. Net als talloze andere Italiaanse steden is Cortona ommuurd. De stad vertoont nog vele Etruskische overblijfselen en geeft daarmee aan dat het al een hoogstaande cultuur had, voordat de Romeinen er kwamen, om de Etrusken hun wil op te leggen. Daarmede verdween een groot deel van de Etruskische cultuur, inclusief de taal die ze spraken. Ze spraken een taal die op geen enkele andere taal leek in Italië.

Vandaar dat men vermoedt dat de wortels van de Etrusken in de buurt van Turkije liggen.

Terwijl we door het historisch centrum lopen met de hond aangelijnd worden we aangesproken door een jong meisje. Ze bukt zich, aait de hond en spreekt haar aan met Fly.'

'Fly, you are a sweet dog, I love you', en ze gaat door met strelen.

'Do you know who Fly is?', vraagt ze ons.

'Jes we do, that's the dog from de film *Babe*, signorina.'

'Ah, parlate Italiano?'

'Si!'

'Ik heb ook zo'n hond. Toen ik de film had gezien moest en zou ik zo'n hond hebben!'

'U bent dus heel gek met uw hond!'

'Ja, ik ben stapel verliefd op haar!'

'Wij ook op de onze, signorina!'

'Excuseert u me, maar ik moet naar de trouwpartij van mijn beste vriendin.'

'Dat is ook heel belangrijk, ciao!'

'Ciao!'

We lopen verder en komen aan bij de kerk waar de plechtigheid plaats vindt.

Een prachtig uitgedost gezelschap staat te wachten om de trappen te betreden van een kerk: de San Francesco.

Een goede stylist heeft waarschijnlijk een halve dag werk aan het paar besteed. Haren, pakken, schoenen, alles op maat gesneden. Het is een geweldig schouwspel. We vergeten de schitterende gebouwen om ons heen en gaan op in de massa, die de volle aandacht gericht heeft op het paar. Mijn vrouw tikt me op mijn arm en slaat haar blik op een heer naast me. Hij behoort tot de intimi van het gezelschap. Ook hij is correct gekleed, net als de rest van het gezelschap. Als enige heeft hij een knalrood Ferrari petje op. Met zo'n ding valt hij behoorlijk uit de toon. Mijn dag kan niet meer stuk. Ik sta naast een van de allergrootste Formule I coureurs aller tijden. En dan ook nog een Ferrari coureur. Nu kon ik zien hoe ernstig zijn gezicht verbrand was. Zijn oren waren tot een minimum gereduceerd: verbrand. Als de dag van gisteren kon ik me de Ferrari herinneren, in brand, met Lauda er angstwekkend lang in zittend. Hij was mijn grote held. De man die een race berekende en ook kampioen kon worden met weinig overwinningen. Geen cent gaf ik meer voor hem, toen ik zag dat het minuten lang duurde voordat de brand geblust was.

Eén grote vlammenzee. Kon daar iemand levend uit komen?

Een maand later reed Nikki Lauda weer en werd wereldkampioen. Een dag om nooit te vergeten. Ik raakte hem achteloos aan, maar ik wilde zijn trouwpartij niet bederven. Een onvergetelijk moment.

Wat een wereld van verschil was het: de wereld van Franciscus, de heilige, devote man, levend in volstrekte armoe en toewijding aan God en dan plotseling het grote contrast: Nikki Lauda.

Formule I coureurs zijn de mannen van snelheid, omgeven door mooie vrouwen in uitdagende kleding, de zogenaamde pitspoezen. Het zijn de grootste reclamemakers van de wereld en die zin belangrijk. Het is een miljardencircuit. Mannen die aanbeden worden om hun snelheid. Het is de grootste machowereld die er is. De concurrentie op de baan is zo groot dat ze het niet schuwen een teamgenoot van de baan te rijden. Eén ding telt en dat is winnen. Wat staat dat in schril contrast met de wereld van Franciscus, waar concurrentie uit den boze was en geld, bezit en vrouwen ook natuurlijk. Dat alles verenigd op één plek, maar in een andere tijd.

12

Napoli

Ooit zei een tante tegen me: 'Napels zien en dan sterven'. Naar de betekenis heb ik haar niet gevraagd. Al vaker had ik iemand die uitdrukking horen gebruiken.

Mijn automatische uitleg was, dat het er zo mooi moest zijn, dat al het andere er bij in het niet zou vallen, en dat je niets anders restte, dan je leven daarna te beëindigen, omdat er alleen nog maar tegenvallers zouden komen.

Ik heb het afgeleerd om alles in een rangorde onder te brengen. Het is de kunst om ieder landschap de waarde te geven die het verdient. Elke streek heeft zijn eigen karakteristiek. Ga je dat vergelijken met een ander landschap, dan doe je het landschap te kort, maar ook jezelf. Allemaal kunnen ze hun eigen pracht hebben, en geniet van die pracht, zonder de oneerlijke vergelijking.

Maar goed, voor Napels heeft men een spreekwoord en dat kan men niet van iedere streek zeggen.

Ik heb me wel eens afgevraagd of er iets zou bestaan om voor te sterven, in dit geval 'schoonheid'. Sterven voor 'schoonheid?' Schoonheid, daarvan zou ik vaker willen genieten. Of moet het een romantische droom blijven? Iedere volgende keer dat je het ziet, heeft het iets aan schoonheid ingeboet en dat mag niet gebeuren, dus: 'sterven', om de romantische droom in stand te houden? Op deze manier zijn er duizenden plekken op de wereld die het sterven waard zouden zijn.

Een andere versie van 'Napels zien en dan sterven' kwam me jaren later ter ore.

Eén van de Romeinse keizers, vlak na de jaartelling zou verantwoordelijk zijn geweest voor de spreuk.

Lieden die hem voor de voeten liepen, zijn gezag ondermijnden, of hem het leven lastig maakten, zou hij van de rotsen hebben laten gooien. Nog éémaal mochten ze voor hun gruwelijke dood hun blik op Napels werpen, alvorens zich in de diepte te storten.

Capri zou de plek geweest zijn. Van daar af kan men inderdaad heel goed Napels zien.

Zo bekeken was het toch niet zo romantisch: 'Napels zien en dan sterven.'

Voor geen enkele zaak zou ik willen sterven. 'Sterven voor het vaderland?' Natuurlijk zul je moeten vechten als de veiligheid van het vaderland in gevaar komt, als het dreigt aangevallen te worden. Het wordt hier een kwestie van 'moeten', als een heilige plicht.

Er is geen keus. Het slachtoffer worden van een vreemde dwingeland, dat wil niemand.

Onderdrukking, daar wil je voor vechten. Maar dat je van tevoren daar voor wilt sterven lijkt me wat teveel gevraagd. Het is een hele vervelende bijkomstigheid, dat sterven, maar 'sterven' stellen als ideaal? Er wordt zoveel heldendom om het sterven heen geboetseerd. Het lijkt me omgeven door valse romantiek. Op het slagveld is geen plaats voor romantiek. Het is een complete hel, waar jongens vechten voor hun leven.

Zij willen overleven. Zij willen niet dood. Zij moeten doden, anders worden zij gedood.

Zijn zij ineens helden geworden door een ander te doden? Bij iedere dode wordt hun trauma groter. Psychisch getraumatiseerd komen ze thuis, niet meer in staat om lief te hebben. 'Doden' was de missie. Geen mens is daar voor geboren.' Sterven voor Napels', vanwege de grote schoonheid ervan, lijkt me een wat overdreven ideaal.

Laten we dan maar eens bekijken, hoe schoon het dan wel is.

We hadden alle spullen uitgestald in Bolsena, onze vaste plek. De meest noodzakelijke dingen werden in enkele reistassen gedaan en in de kofferbak gestopt. Een piepklein tentje leek ons voldoende vanwege het prachtige weer om de nacht in door te brengen.

Drie en een half uur rijden zou ons in Napels brengen.

Tientallen kilometers voor Napels toonde de 'Vesuvius' zijn nog vreedzame gezicht.

De 'neus' was er vlak na het begin van de jaartelling afgesneden, eigenlijk meer afgeknald, met een reuze klap. Het moet een explosie geweest zijn die in de hele wereld merkbaar was.

Achteloos rijd je daar langs en een moment sta je er bij stil, welk een catastrofe daar heeft plaats gevonden. Duizenden mensen die in paniek vluchtten, of anderen die juist bleven, nadat de berg ze weer een moment vriendelijk toelachte, om vervolgens weer verraderlijk toe te slaan met een ongelofelijk geweld.

Terwijl deze zaken een moment het toneel in mijn hoofd vormden, reden we langs een van de mooiste baaien ter wereld. Het water is azuurblauw, bijna onnatuurlijk. 'Costa Azzurra' is niet overdreven. Hier en daar steekt een rotspunt uit het water, te klein om eiland genoemd te worden. Een moment zie ik de grimmige Vesuvius weer voor me.'Zou de vulkaan een stuk lava uitgebraakt hebben en dat met geweldige kracht in de zee hebben doen terechtkomen…?' Het was slechts een gedachte.

We rijden door en besluiten de berg af te dalen naar 'Vico Equense'.

Via een steile kronkelweg dalen we af naar de boulevard. Vanaf deze plek kunnen we de hele baai overzien. Napels ligt nu recht tegenover ons. Daarachter ligt heel vredig de Vesuvius. Maar ik vertrouw hem niet. Dode vulkanen, en levende vulkanen, ging het door mijn hoofd. Zo had ik dat geleerd. Sommige zijn honderd jaar dood, om vervolgens weer springlevend te worden. Ooit zei een Italiaan tegen me, dat Italië eigenlijk één grote vulkaan was. Door heel Italië loopt een grote barst, van beneden tot boven, en op alle plekken kan het tot een uitbarsting komen. 'Deo volente'. Ga eens een kansberekening maken over hoe groot de kans is dat jij omkomt door een eruptie. Je zult dan lachen. Maak je die berekening ook als je in de auto stapt of in een vliegtuig? De Italianen zullen er wel niet te veel bij stilstaan, anders valt er niet te leven. Maar onberekenbaar blijven ze, die vulkanen. Er zijn niet voor niets zoveel vulkanologen omgekomen in een vulkaan. Ze waren er toch zeker niet ingekropen als ze dat geweten hadden?

Langs de vissersbootjes en plezierjachten rijden we stapvoets verder, totdat we aan onze linkerhand een bordje zien met een tent erop.

We zitten goed en gaan linksaf door een tunnel.

Een kleine camping zo te zien, beplant met citroenboompjes. Heel vriendelijk ziet het er uit. We zetten ons tentje op, nadat we ons aangemeld hebben bij de directie van de camping. De baas sprak vloeiend Engels, hetgeen we niet gewend zijn in Italië.

We mochten op iedere plek gaan staan die we wilden en wat is er mooier dan een plaats uit te kiezen, in de schaduw van een citroenboom, met knal gele citroenen, met uitzicht op de Vesuvius? Was het dit? De grote droom? Hier konden we inderdaad heerlijk wegdromen. Niet de plaats om zelf een potje klaar te maken, het avondeten, 'la cena'.

Deze plaats moest je nog veel mooier maken dan hij in werkelijkheid was. Een nog diepere beleving wilden we eraan geven. We hadden trouwens slechts een basiskampeeruitrusting bij ons, dus waren we aangewezen op de eetgelegenheden aan het strand. Die waren er volop.

Welke drank zou er het beste passen bij deze sfeer, deze ambiente, vermaard in de hele wereld om de geschiedenis van de vulkaan. In alle toonaarden is Napels bezongen met zijn befaamde 'canzoni' (liedjes), om haar schoonheid. Napels heeft vele gezichten.

'Signori, bere e mangiare?' (Drinken en eten?)

Het is altijd leuk om de wijn te nemen uit de streek. Dat deden we dan ook.

De ober zette de wijn voor ons neer, met de mededeling dat het een 'vino lokale' was. We namen dat onmiddellijk aan. Langzaam begon de duisternis in te vallen.

We keken naar de overkant waar de Vesuvius langzaam begon te vervagen in de schemering. Slechts de lichtjes van de huizen die tegen de berg gedrapeerd lagen gaven nog enigszins de vorm van de berg aan. Een zee van lichtjes vormde een langgerekt lint rondom de baai. Zelfs een prutswijn had deze beleving niet kunnen bederven.

Het was niet te geloven dat deze plek zo gewelddadig kon zijn. We lieten het op ons in werken. Van enige vijandigheid van de overkant wilden we voor een moment niets weten. De wijn die we dronken was net zo rood als het bloed van San Gennaro, de beschermheilige van Napels. Niet voor te stellen was het, dat eens, en lang zal dat niet meer duren, het lieflijke tafereel, dat we inademden, zeer wreed verstoord zal worden.

Het rode vocht waar we zo van genoten deed me denken aan de vulkaan, die ook rood vocht zou uitspuwen, maar niet van dronkenschap. De vulkaan heeft op zeker moment genoeg van de brok in zijn keel, in de vorm van een grote steenklomp. Plotseling zal hij hem eruit smijten en de hele wereld zal het weten, hoe boos hij is.

Die avond werd de hemel versierd met een geweldig vuurwerk. Het leek alsof de vuurpijlen de lucht niet in wilden. Tegenover de hoogte van de Vesuvius straalden ze een zekere nietigheid uit. Voor ons hoefde het niet. We hadden genoeg aan het uitzicht over de baai, de sterrenhemel, de bootjes die ons omgaven en de rust, dat alles uitstraalde.

'Het wordt pas echt vuurwerk als die grote jongen op de achtergrond vuur begint te spuwen', zei ik tegen de ober, om eens uit te proberen hoe gevoelig het onderwerp daar ligt. Ik werd teleurgesteld, want hij reageerde niet op mijn opmerking. Hopelijk had hij het te druk en was hij niet in voor grappen, of was deze grap al vaker gemaakt. We slenterden terug naar ons tentje, nagenietend van de geweldige indrukken.

De volgende dag wilden we de 'Costiera Amalfitana' verkennen. Deze kust noemt men ook wel de 'Costa Smeralda' (smaragd), vanwege haar pracht.

Eerst deden we Sorrento aan. Loodrecht rijst het op uit de zee. Het is de plaats waar de fotograaf de prachtigste plaatjes kan maken: een schilderachtige villa, met een droomterras, een palmboom en de azuurblauwe zee. De ultieme droom van een mens.

Het is er dan ook vergeven van de bussen met toeristen en hotels. Te mooi eigenlijk.

Iets wat te mooi is kan me gaan tegenstaan. Het is alsof het zijn eerlijkheid heeft verloren. Te veel schoons went. Er kan niet steeds een overtreffende trap zijn van schoonheid. Eigenlijk ben je jezelf hier aan het verpesten: schoon, schoner, schoonst.

Het houdt toch een keer op?

't Is niet voor niets, dat de rijken der aarde hier heen trekken.

Richting Positano gaan we. Voortdurend moet je de aandacht er goed bijhouden, want de weg kronkelt en het is er druk. Kennelijk zijn er meer die weten dat er wat te zien valt. We zien Positano liggen aan onze linkerhand, tegen de berg aan gevleid.

We dreigen kleurenblind te raken van het kleurenaanbod van de huizen.

Alle kleuren van de snoepkraam kun je er vinden: lichtroze, mintgroen, okergeel, citroengeel. De kleuren die je ziet als je in de bakjes met ijs tuurt, om een ijsje uit te zoeken bij de 'gelateria': die kleuren.

Geld, geld, geld, tegen de muur aangeplakt. De huizen liggen pal tegen elkaar aan: naast elkaar, onder en boven elkaar. Het is maar te hopen dat men hun rijkdom nog ontdekken kan, tussen al die andere rijkdom.

Behoefte aan 'privacy' hebben ze hier kennelijk niet. Waarschijnlijk is het genoeg, dat hun rijke buurlieden weten, dat zij ook tot de club der rijken behoren. 'Zien en gezien worden.' In Italië kan en mag dat.

Men mag zijn rijkdom tonen. Ze zullen je ook een compliment maken, omdat je het gemaakt hebt. Boven het maaiveld uitsteken mag. Daar zullen ze je geen patjepeeër noemen omdat je in een te duur huis woont, of omdat je in een te dure auto rijdt.

Asobakken bestaan er evenmin, PC Hoofttractoren ook niet. In Italië is men trots op zijn bezit en een ander maakt hem of haar complimenten om die reden.

Boven het maaiveld uitsteken, waarom niet? We zijn toch niet allemaal gelijk?

Er is een geweldige markt voor de rijken: ze kopen dure huizen, dure boten, dure auto's.

Stel je voor dat dat allemaal niet meer zou kunnen. Hoeveel mensen zijn er niet werkzaam in deze business?

We willen die rijkdom ervaren van dichtbij en zoeken een plek om de auto te stallen.

Aan de zeezijde is een parcheggio.

Een knappe Italiaan wenkt ons en vraagt of we het raampje willen openen.

'C'è posto?' (Is er plaats?), vragen we hem.

'Dammi le chiavi', zegt hij. (Geef me de sleutels)

We kijken elkaar aan, argwanend, en besluiten dat niet te doen.

Stel je voor, dat je de autosleutels afgeeft, vervolgens rijdt hij met je auto weg en zie je de auto nooit meer terug. Zou je dan verhaal kunnen halen bij de politie? Je hebt hem de sleutels en de auto immers zelf gegeven?

'E normale, ognuno lo fa'. (Is normaal, iedereen doet het), zei de parkeerwachter tegen me. We geloven het wel maar doen het toch maar niet.

In ons land geeft niemand zijn sleutels af. Ze zouden zich doodlachen te horen, dat jij vrijwillig je auto hebt afgestaan. Beetje naïef waarschijnlijk, of zelfs heel naïef.

Al verder rijdend hebben we het er nog over. 'Zijn we nu naïef of juist niet?'

We hebben het voorgelegd aan Italianen en die zeiden: 'Kun je gerust doen, dat is hier de normaalste zaak van de wereld!' Maar ja, je kent alle verhalen van Maffia, ordinaire berovers, of brutale straatrovertjes en dan zit je ook nog eens een keer onder de rook van Napels. 'Pas op je spullen', had men ons gezegd, 'als je naar Napels gaat!'

We naderen 'Amalfi', slaan links af de bergen in richting Pompei. Het is een toeristische route. Op de kaart is de route groen. We worden getrakteerd op een imposant berglandschap en naderen Pompei. Op het moment dat je een richtingaanwijzer nodig hebt ontbreken ze, en raak je de weg kwijt.

Op goed geluk, volgen we ons natuurlijke navigatiesysteem, maar komen dan toch plotseling in een ongelofelijke chaos terecht. Verhalen over de verkeerschaos van Napels kenden we. 'Kijk uit dat je daar niet in terecht komt, want dan word je volslagen krankzinnig.' Nu was dit niet Napels, maar Pompei. Het gevoel vertelde ons dat we in Napels terecht gekomen waren. Hoe kwamen we hier uit? Kan het nog erger?

Muur en muurvast zat het verkeer. Er was geen schijn van kans links of rechtsaf te slaan. Scooters vlogen links en rechts langs ons heen. 'Verzekeringen en totaal vernielde auto's' schoten door me heen. Ik werd er radeloos van en dacht maar aan één ding:

'Hoe kom ik uit deze chaos?'

Ik moest een list proberen te verzinnen.

Oude mensen zag ik wel oversteken en ik dacht, dat ze dat toch niet met gevaar voor eigen leven zouden doen.

Het viel ons op, dat ze een automobilist recht in de ogen keken en vervolgens heel brutaal een stap op de weg zetten.

Met gillende banden kwamen de auto's tot stilstand, soms niet meer ruimte overlatend dan dertig, veertig centimeter. De oudjes werden er niet koud of warm van en het leek de gewoonste zaak van de wereld voor hen.

Zo moest het dus: brutaal zijn, met de voet bij de rem.

Bruut zette ik mijn auto dwars voor een ander. Het werkte. Deukloos was ik naar de overkant gekomen. Zo'n hectiek had ik nooit eerder gezien. Met de auto door Napels zouden we dus maar uit ons hoofd laten, erger dan dit was niet mogelijk.

Langzamerhand kwamen we wat meer in de buitenwijken terecht in de richting van Vico Equense. Aangegeven stond het niet. 'Solo la speranza.' (hoop)

Daar lagen ze dan: drie meter hoog en twintig meter lang…, bergen vuilnis. Eindeloze bergen vuilnis, waar een deerniswekkende stank van af kwam.

Hoe konden ze zoiets in godsnaam laten liggen?

De zoveelste staking! Het barst ervan. De politiek is niet bij machte dit probleem op te lossen. Het is een probleem dat al tientallen jaren duurt. Linkse regering, rechtse regering, het doet er niet toe, de toestand blijft zoals die is.

Het ambtenarenapparaat is drie tot vier keer zo groot als in andere Europese landen. De ambtenaren voorzien zichzelf van riante regelingen. Miljarden en nog eens miljarden gaat er om in het ambtenarenapparaat met het grootste waterhoofd van heel Europa.

De politiek is corrupt, de ambtenaren ook, en het volk ergert zich kapot. Vriendjespolitiek, ofwel nepotisme is aan de orde van de dag. Vele organisaties zijn er die de 'Italiaansheid' beschermen. Indien er buitenlanders zijn die een bedrijf willen overnemen, dan moet wel de 'Italiaansheid' gegarandeerd zijn, wat het dan ook precies mag inhouden.

Creatief zijn de Italianen beslist, meer nog dan andere volkeren. Designers op vele gebieden geven de toon aan in de hele wereld. Innovatie ontbreekt hun.

De economie is verlamd. Er zit te weinig groei in. De Italiaanse economie blijft qua groei achter bij de rest van Europa. De Italiaanse staatsschuld wil maar niet afnemen, is torenhoog.

Er worden veel te weinig kinderen gemaakt. De Italiaan heeft gemiddeld 1,3 kind.

Hoe moeten alle lasten later betaald worden door de generatie van nu, die veel te gering in aantal is in verhouding tot het miljoenenleger van ouderen, dat alsmaar toeneemt?

Gelukkig eten de Italianen veel pasta's en weinig vet, ze zijn de gezondste eters ter wereld. Dat betekent wel dat het grote aantal ouderen nog meer toeneemt.

De Italiaan die er uitziet als een grote 'womanizer' heeft kennelijk niet zo veel op met kinderen. Waarschijnlijk zijn daar de huizen zo duur, dat men gedwongen is 'voltijd' te werken samen, en zijn om diezelfde reden kinderen niet welkom.

Het individualisme dat om zich heen grijpt vindt ook daar plaats. Veel tijd nemen voor jezelf. Jezelf vertroetelen. Relaties moeten honderd procent zijn en anders is het afgelopen.

Corruptie viert al sinds mensenheugenis hoogtij in Italië. Hoeveel moeite heeft het team 'Mani pulite' niet gedaan om maffiose praktijken van politici en ondernemers op te lossen: ondernemers die politici betaalden om opdrachten te krijgen. Daar ligt de bron van chantage. Als je je daar aan overgeeft dan zit je in de klauwen van de maffia en ben je een willoos voorwerp geworden. Een weg terug is er niet meer. Gevangen zit je in de 'omertà', de zwijgplicht. Wordt deze plicht verbroken, dan sterf je een zekere dood.

Goed werk heeft het team 'Mani pulite' gedaan, veel arrestaties verricht en enkele jaren daarna zijn we weer even ver van huis. Verlammend gewoon.

De 'Camorra', de maffia van Napels lacht zich dood bij al dat onvermogen, want zij spinnen er goed garen bij. Waar de overheid faalt, gedijt de Maffia.

Als Italië zo door gaat dan bungelt het binnen de kortste tijd onderaan de staart van Europa, als de grote schlemiel. Zonde van een land met zoveel schoonheid.

Het houdt ook een groot gevaar in. Het noorden dat de zaak draaiende moet houden moet bloeden voor het zwakke zuiden. Er zijn dan ook bewegingen die het liefst zouden zien dat een aardbeving een barst zou veroorzaken die van links naar rechts door Italië loopt, boven Rome en dat het zuiden naar Afrika drijft, waar het thuishoort.

Het risico, dat er een nieuwe dictator naar voren komt groeit ook. Een nieuwe 'Benito', een man die van aanpakken weet. Miljarden gaan er verloren in de dadenloze maatschappij: de totale verlamming is dichtbij. Niets erger voor een land, waar verdeeldheid ontstaat onder de bevolking. Eventueel een volksopstand.

Eeuwen is Italië overheerst geweest door vreemde volkeren. Zwaar heeft het er onder geleden. Eindelijk is het een eenheid en dan zal dat weer te gronde gericht worden?

Het zou me een gruwel zijn. Des te groter de puinhoop wordt,des te meer kans dat er een 'sterke man' opstaat. Napels is de representant van al deze ellende en misschien om die reden de moeite waard om eens te bekijken, of om te sterven. Rijdend midden in deze Italiaanse chaos besloten we de volgende dag de stad te bekijken, waar zoveel liederen over geschreven zijn. Terwijl we de rotzooi aanschouwden realiseerde de ik me dat juist het chaotische gedrag van dit volk mijn liefde voor dit land had doen ontstaan. Wat men bij ons allemaal heeft afgebroken in de negentiende eeuw, kastelen, stadsmuren, heeft men daar laten staan. Er zijn nog talloze steden, waar men omgeven is door de middeleeuwen, geheel authentiek. Rijdt men door de Po vlakte dan vallen de vervallen boerderijen op. Talloze huizen in middeleeuwse centra zijn ongeschilderd. Plakken pleisterwerk vallen van de muren af. Je wordt omwikkeld door de historie. Dat is waarschijnlijk ook hetgeen mensen zo aantrekt in dat land.

Ik kreeg wel eens het idee, dat een Italiaan te lui is om alles af te breken wat oud is, de 'laat maar waaien mentaliteit.' Hier en daar zal dat zijn pech betekenen, maar waarschijnlijk levert het hem ook veel op. Italië heeft een geweldige aantrekkingskracht op het toerisme. Met dank aan het bewaren, al dan niet per ongeluk.

Kijk eens naar RAIUNO TV. Dat is nou typisch zo'n Italiaans rudiment.

Het wordt overheerst door oude baasjes, die zich nog geweldig staan te voelen. Daarnaast langbenige en rondborstige individuen, gezwollen lippen, die er ter versiering naast staan. Weinig functioneel. Deze programma's worden gevuld met geklets, geklets en nog eens geklets. Ook hier weer ongeorganiseerde chaos. Veel travestieten zijn er te zien en talloze moppentappers, die in één of ander zwaar dialect hun vulgariteiten ten toon spreiden. Liedjes worden er gezongen die eeuwigheidswaarde hebben. De toppers van dertig, veertig jaar geleden zijn voor hen nog steeds toppers. Vaak worden ze nog gezongen door de originele artiesten, die bij ons een zangverbod zouden krijgen. Het heeft het niveau van een boulevardblad. Toch vind ik het altijd grappig om naar te kijken. Wansmakigheid kan ook wel eens prettig zijn.

Op een vreemde manier ontstaat liefde voor iets. Het is een gevoel dat groeit en dat je niet tegen kunt houden... en dan is het er ineens. Het contrast, dat was de schuldige.

Terwijl we via Zwitserland of via Oostenrijk de Italiaanse grens passeerden, viel het plotselinge verval ons op. De roestige vangrails langs de weg. Het slechte wegdek.

Van de nette wereld kwamen in de slordige wereld terecht.

Naar Napels

De auto durfden we er niet aan te wagen, dus werd het de trein.

Een probleempje deed zich voor: de hond.

De hond was een onmisbaar deel van ons gezin. In het openbaar vervoer in Italië worden slechts honden toegelaten, mits voorzien van een 'museruola'. (muilkorf)

Die hadden we niet meegenomen, we hadden er niet eens een. Onze hond beet immers niet. Ze deed geen vlieg kwaad. Italianen zijn nogal benauwd voor honden.

Het eerste wat ze je vragen bij toenadering: 'Bijt hij?' (Morde?)

Alsof je het niet aan haar oogjes kon zien! Meestal gebruiken zij een hond om hun terrein te bewaken. Of ze lopen los, of ze zitten vast aan een lange lijn, waar hun riem langs glijdt. Langzamerhand gebruikt men de hond steeds meer als gezelschapsdier.

'Hoe kwamen we zo gauw aan een 'museruola?'

Inventief als mijn vrouw was, prutste ze ,van touwtjes om de tent te spannen, een muilkorf in elkaar. Er zaten ook een paar aluminium spanners aan, zodat het leek of ze een brilletje op had. Wat dat betreft viel ze in dat milieu niet op. Hond met zonnebril. We stonden in spanning te wachten bij de bushalte of de conducteur ons toe zou laten tot de bus.

Daar kwam hij aan. De chauffeur was ruim op tijd en stapte uit. Hij begroette ons vriendelijk en gaf de hond een aai. Dat zag er niet slecht uit.

'Signore, scusa, vogliamo prendere il cane in autubus, va bene cosi?' (Meneer, we willen de hond meenemen in de bus, is dat goed zo?')

'Naturalmente signori, il cane porta anche la museruola.' ('Natuurlijk meneer en mevrouw, de hond draagt ook een muilkorf.')

De chauffeur kon de inventiviteit wel waarderen. Hij vond het ook maar onzin, maar 'wet' is 'wet', en daar hadden we aan voldaan.

In Vico Equense moesten we nog een overstap maken op de trein.

We namen plaats tegenover een oude dame. Men had ons verteld dat het niet moeilijk was om met Italianen in gesprek te komen. Dat bleek ook hier weer.

Aandachtig keek de dame naar de hond, zich voortdurend afvragend wat dat toch was, om de bek van de hond. Terwijl ze keek at ze een appel op. 'Uit eigen tuin', zei ze.

Ze had een mandje vol met deze prachtige appels.

'Hier, neemt u er maar een paar mee voor onderweg. Het duurt nog wel een tijdje voor u in Napels bent.'

We vonden het een prettige ervaring, dat we zo maar een paar appels kregen van een volkomen vreemde.

'Ha mal di occhi, il cane?' (Heeft ze iets aan haar oogjes, de hond?')

'No, niente, funziona per museruola signora!' (Nee, niets, het fungeert als muilkorf mevrouw.')

'Ah, che scherzoso!' ('Wat grappig!')

De conducteur kwam langs. De hond lag voor onze voeten. 'Museruola va bene!'

We genoten van: 'het leven nemen met een zwier.' Met volstrekte stiptheid werd de wet toegepast. Geen gezeur over normen voor... muilkorven!

Het treintje hobbelde verder. Visueel leek het maar een eindje. Napels binnen handbereik, maar de grote ruimte bedroog ons. De trein deed er anderhalf uur over.

'State attenti ai ladri' (Pas op voor dieven), zei het oude dametje nog tegen ons voor we uitstapten. Ik had daar verhalen over gehoord, maar ik realiseerde me, dat het een typisch grote stadsprobleem is. In iedere grote stad kun je beroofd worden. Basisfouten moet je voorkomen. Loop je op straat met je partner, zorg dan dat de dame niet aan de straatkant loopt met haar handtasje, maar aan de buitenkant. Loop niet met je portemonnee in de achterzak. Laat niet al te uitbundig zien hoeveel sieraden je bezit.

Kom vooral niet in bepaalde wijken. Het zijn regels die eigenlijk overal gelden.

Eigenwijsheid op dit gebied wordt genadeloos afgestraft, ook in Napels.

Terwijl we de trein uitstapten groetten we de oude dame nog vriendelijk en stapten uit bij het Centrale Station.

Als we het station uitlopen staan we voor een groot plein: het Piazza Garibaldi.

Het plein staat bekend om zijn vele zakkenrollers en prostituees. We zijn op onze hoede, maar een onveilig gevoel gaf het ons niet. We hadden niet het idee dat we afgelegd werden door lieden, die op onze sieraden of onze beurs uit waren. Niemand die op ons lette. Misschien kwam het door de hond, onze beschermengel, want daar zijn ze als de dood voor.

We lopen richting 'Porta Capuana', een prachtig overblijfsel van de stadsmuren.

We slaan de 'Via dei Tribunali' in, een straat met veel antiquairs, restaurateurs.

Aan weerszijden van de Via dei Tribunali' lopen talloze steegjes, waarvan we het gevoel hebben dat we maar beter links kunnen laten liggen. Ze komen nogal unheimisch op ons over. Talloze kerken passeren we, waarvan Napels er wel zo'n vierhonderd heeft. Santa Maria Maggiore, Santa Chiara. We gaan ze niet allemaal bekijken. Af en toe werpen we een blik naar binnen. We zijn nogal overvoerd met kerken.

We lopen langs de 'Spaccanapoli'. Dat betekent dat Napels gespleten wordt door een straat en daar is de hele wijk naar genoemd. Hier speelt het echte leven van Napels zich af. Hier bevinden zich talloze één en twee kamerappartementen, waar dikwijls hele gezinnen wonen. De stoep wordt als erker gebruikt, waar de arme Napolitaan zijn sociale leven doorbrengt. Groente wordt er gesneden, kaart gespeeld, gekletst, veelal met luidruchtige gebaren.

'Piazza Bellini': hier zien we de oudste geschiedenis van Napels. Oude resten van een Griekse stadsmuur zijn hier te zien. Het is er druk. Geen moment hebben we het gevoel belaagd te worden door zakkenrollers, integendeel, het volk is zeer vriendelijk. Geen verdachte figuren, niets.

De regen bederft het een en ander aan de schoonheid van Napels. Onophoudelijk valt er een druilerige regen naar beneden. Napels moet je niet aandoen met een regenjas. 'Sole mio', dat hoort bij de Napelsbeleving.

We zijn meer bezig met bescherming tegen de regen, dan met beleving van fraaiheid van de stad. We hollen van portiek naar portiek om droog te blijven.

Dan komen we langs een stalletje, waarvan de eigenaar een echte Napolitaan is.

'Wilt u een paraplu kopen, meneer en mevrouw? Vijf gulden maar, een echte Napolitaanse paraplu!'

We kijken elkaar verbaasd aan. In het hartje van Napels, een Napolitaan die ons in perfect Nederlands aanspreekt? Zo'n paraplu laat je niet staan in de paraplubak.

Ik maak de man een compliment: 'U spreekt goed Nederlands meneer, waar heeft u dat geleerd?'

'In Holland… Amsterdam…, daar heb ik vijf jaar gewerkt.' We praten nog wat over de Amsterdamse grachten en over Holland.

'Prachtig land, Holland, maar ja mijn familie woont hier, in Napels.'

'Ja, dat begrijp ik.'

Langzamerhand begint het beeld dat we van Napels hebben zich te wijzigen. Vanwege de talloze overheersingen van Fransen, Spanjaarden, Saracenen, Oostenrijkers, Grieken, schijnt vleierij een ingeboren eigenschap te zijn in Napels.

Ze hebben er van geleerd de vijand tegen te werken en maken er maar het beste van.

'Vleierij', mits niet te opzichtig, is hier levensstijl geworden, waarschijnlijk ontstaan uit lijfsbehoud. Ieder volk is getekend door zijn geschiedenis.

'Sprezzatura' noemt men het wel in Italië: achteloos een bepaalde houding aan nemen om iets duidelijk te maken, maar niet te opvallend.

Als hij de foto's laat zien van zijn vrouw en zijn kinderen, worden we warm van binnen.

Een marktkoopman die foto's laat zien van zijn vrouw en zijn kinderen.

Van vleierij is hier geen sprake meer, de man is vriendelijk.

Dit speel je niet. Voor vijf gulden speel je geen toneel. Niks vleierij: dat zijn de momentjes waar we voor gaan.

Tien prachtige paleizen en kerken zijn we snel vergeten, maar dit echte incidentje uit het leven niet. 'Napoli..., da morire?'

We nemen de Via Toledo, een prachtige winkelstraat. We komen langs een markt in de wijk Spagnoli. Vroeger, tijdens de Spaanse overheersing, werden hier de Spaanse soldaten ingekwartierd. Het is de armste wijk van Napels. Smalle straatjes komen er uit op de Via Toledo. De werkeloosheid is er hoog. We voelen ons nog steeds niet onveilig.

Duizenden bedrijfjes zijn er: winkeltjes, restaurants. Dit is het toonbeeld van de 'Mezzogiorno', het slechte deel van Italië.

Op de markt, 'de Pignasecca', kun je vlees, vis en groente kopen. Als ik de vis zie, word ik onpasselijk. De lucht doet me herinneren aan mijn jeugd. De opengesperde bekken, happend naar adem. Ik vond het gevecht tegen een vis altijd een oneerlijk gevecht.

'Waarom moest een beest zonodig een doodsstrijd leveren ter bevrediging van jouw sportbeleving?' Het zou nog heel lang duren voor er een vis bij mij naar binnen ging.

Heel Napels komt hier inkopen doen. Het volk kletst hier luidkeels, spreekt meer met zijn handen dan met zijn mond. Een enkele scooter probeert zich door de friemelende benenmassa heen te werken. Vespa's en Lambretta's. De scooter, het ideale vervoermiddel voor de grote stad en de enorme hitte. Overal draaien ze tussendoor met acrobatische toeren. Bijna altijd gaat het goed...

We passeren de wijk 'Chiaia', een wijk waar topdesigners hun meesterwerken ontwerpen. 'Finamore' aan de Via Calabritto met zijn overhemden, blouses en stropdassen, allemaal op maat gemaakt, tot op de millimeter nauwkeurig. Dikwijls zijn het kleine familiebedrijfjes, die van generatie op generatie overgaan. Hier koopt men een overhemd voor slechts vierhonderd euro.

Dan 'Marinella', die stropdassen maakt op maat. Op maat? Een stropdas? Ja, een te kleine stropdas past niet bij een grote man en viceversa.

Grote mannen uit de hele wereld hebben hier hun dassen gekocht: Clinton, Gorbatsjov.

De mannen in Napels hebben prachtige pakken aan, ook als het warm is. Mocht het zo zijn, dat het niet uit te houden is, vanwege de hitte, dan lopen ze er hoe dan ook onberispelijk bij. Onmiskenbaar een Italiaan. Ondanks het feit dat ik had geprobeerd er niet al te Hollands uit te zien, schrok ik er van, ineens die zin in het Nederlands te horen:

'Paraplu kopen meneer?'

Ik zou mijn haren zwart moeten verven en een Italiaans pak van Giorgio Armani aan moeten trekken en dan nog zou ik me verraden! Mijn blauwe ogen hoeven me niet perse te verraden, want in deze streek heeft men ook nog overheersing van Noormannen gekend. Daar hebben ze hun blauwe ogen aan te danken en zelfs hun blonde haar.

Denk aan wielrenners als Petacchi, Cipollini, Di Luca. Het lijken regelrechte afstammelingen van de Noormannen.

We lopen in de richting van de haven, langs 'Piazza del Plebiscito.' We staan voor het 'Palazzo Reale.' Deze paleizen tonen dat Napels door koningen van verschillende landsaard overheerst is, te zien aan de bouwstijl. Eeuwenlang is Napels een koninkrijk geweest. We laten het 'Castel dell'Ovo' rechts liggen. De haven heet 'Porto dell' Santa Lucia.' Hier werd in 1835 Santa Lucia geschreven. Het lied dat in de hele wereld beroemd geworden is.

In dit lied werd de absolute schoonheid van Napels beschreven: O bella Napoli, O suol beato (mooi Napels, gezegende aarde) We nemen in die hoek het 'Teatro San Carlo' even mee. Ook al weer gebouwd door Franse overheersers. Het is de oudste opera van Europa. De beroemdste componisten hebben er gewerkt: Rossini, Donizetti, Bellini, Verdi…

Caruso, één van de grootste zangers aller tijden werd hier aanvankelijk geweigerd. Pas toen men overtuigd was van zijn grote zangtalent nodigde men hem uit. Voor Caruso hoefde het toen niet meer. Caruso trad niet op.

We slenteren verder naar het Castel Nuovo, ook wel 'Maschio Angioino', hetgeen slaat op de overheersing van het huis van Anjou.

We worden het slenteren zat en kijken hoe we de kortste weg naar het station kunnen vinden. Een lange weg loopt van de 'Piazza Bovio' naar het station: de 'Via Umberto I.'

We moeten het plein oversteken , maar hoe? Het verkeer raast maar door. Is dit de hel van Napels? Is het hier nog erger dan in Pompei? Nee, dat niet.

Even herinnerde ik me de truc die ik toegepast had in Pompei: oogcontact en dan de brutale voet op straat en doordouwen.

Nog steeds geen verdachte figuren…?

We keken om, niets verdachts of toch…

Een raszuivere vuilnisbak, zo uit de vuilnishopen van Napels geplukt, broodmager, wilde onze hond Donna avances maken. Hij had het goed geroken. Onze hond was 'indisposta', ongesteld, letterlijk.

We staken over en alle automobilisten gingen in de remmen. De achtervolger hadden we enkele meters terug weten te jagen, maar hij kende de Napolitaan beter dan wij. Ook hij zette een voet op de weg. Of hij eerst oogcontact maakte, weet ik niet. Ook voor hem werd geremd, voor de uitgehongerde, dorstige sloeber. Kilometers duurde de achtervolging.

Steeds wist ik hem te verjagen, maar even zo vele keren kwam hij terug. Af en toe dacht ik dat hij het spoor bijster was aangezien hij slecht zicht had in de benenmassa. Maar ja, een hond heeft een goede neus en dat was voldoende om ons weer op het spoor te komen.

Binnen de kortste tijd volgde hij de staart van Donna weer. Na een achtervolging van anderhalf uur kwamen we bij een cafeetje aan. Er waren twee ingangen. We gingen door de eerste ingang naar binnen. De zwerfhond mocht niet naar binnen en was doodmoe. Zo moe was hij, van uitputting waarschijnlijk, dat hij voor de eerste ingang een slaapje ging doen.

We dronken op ons gemak een kop koffie. Dat hadden we ook wel verdiend na een lange slenterdag.

De bastaard leek steeds dieper weg te zakken in zijn slaap. Ik verbaasde me over het libido van de hond dat het ondanks de uitputting, toch steeds bleek te winnen van de uitputting. Nu kreeg ik het gevoel, dat de uitputting een moment in het voordeel was.

We moesten onze kans zien te grijpen.

Door de tweede ingang renden we naar buiten met onze hond op de arm: Donna zou immers een geurspoor achterlaten! Hij zou ons in no time weer te pakken hebben.

Eén hond in de trein vervoeren was al een probleem, daar moest geen tweede bijkomen.

We waren bij het station. Onze belager, 'inseguitore', was er in getrapt.

Voor één keer probeerden we de trein in te komen zonder 'museruola'…. tevergeefs.

De conducteur riep ons terug en wees naar de neus van de hond:… museruola!

We haalden de muilkorf uit de tas en de conducteur wenste ons 'Un buon viaggio!'

'Vide Napoli e poi mori?'

Ik verviel weer in overpeinzing over wat schoonheid zou kunnen zijn. Schoonheid is het foutloze?… Dat was Napels zeker niet. Naast de absolute rijkdom, was er de armoe te bewonderen, het rauwe leven op straat. De complete chaos. De gekmakende herrie. De smerige, stinkende vuilnisbelten. Misschien was dat wel schoonheid: het leven in al zijn aspecten. Kwam 'Sofia Loren' hier niet vandaan? Zij was een van de grootste schoonheden die ik kende, zonder te voldoen aan het ideaalbeeld van absolute schoonheid.

'Ciao bella e brutta!'

Door het monotone geluid van het treintje moesten we oppassen niet in slaap te vallen en bij het juiste station uit te stappen.

Capri il Paradiso

Zoveel mensen had ik gesproken, die in Napels geweest waren en tegen me zeiden: 'Als je Napels bezoekt dan moet je beslist ook een bezoek brengen aan Capri.'

Capri is zo'n prachtige wereld. De natuur is zo lieflijk en overweldigend wat schoonheid betreft. De ligging is onovertrefbaar. Een kleine uitstulping in het felle blauw, vlak onder de kust van Sorrento, aan het einde van de baai van Napels.

Paradijselijke schoonheid, dat geldt voor Capri.

Nu geloof ik niet zo erg in het paradijs. Het paradijs bestaat niet. Het paradijs is een creatie van de mens. Ooit zei iemand tegen me: 'Alles van boven, is beneden verzonnen.'

En zo is het natuurlijk ook.

Capri bezoeken om te bekijken of het voldoet aan de alom bezongen schoonheid.

We stapten op de bus naar Sorrento om van daar uit de boot naar Capri te nemen.

De boot lag voor ons klaar. Een brandende zon scheen op het dek. Aan het einde van de loopplank controleerde een bruingebrandde jongeman in kapiteinsuniform de kaartjes.

Voor ons betekende dat drie kaartjes, want de hond werd voor deze keer voor vol aangezien. Meestal was een kinderkaartje voldoende. Maar dit keer niet: Capri is 'big business'.

Aangezien het tamelijk heet was op het dek besloten we naar beneden te gaan om ons te beschutten tegen de felle zon. We namen plaats op een comfortabele bank en bestelden een caffè.

De hond kroop veilig weg onder de bank, zodat niemand last van haar had. Terwijl we tuurden over de eindeloze vlakte van het prachtige blauwe water kwam er een stewart in smetteloos wit uniform de trap af en begon aan allerlei groepjes mensen iets te vragen. Iedereen haalde zijn schouders op en wist kennelijk geen antwoord op zijn vraag. Vervolgens ging hij zo de hele zaal door, totdat hij bij ons kwam. In eerste instantie dachten we aan een zoekgeraakt kind of iets dergelijks, maar nee...

'Avete visto un cane?' (Hebben jullie een hond gezien?)

'Wat zullen we nu weer hebben', dachten we en keken de man nogal bezorgd aan.

'Il cane è sotto la sedia', zeiden we tegen de man. (De hond is onder de stoel.)

'Divieto per cani qui sotto, solamente di sopra per cani!' (Verboden voor honden hier beneden, alleen boven voor honden.)

We namen de hond mee naar het dek en namen plaats op een bankje in de zon. Schaduw was nergens te bekennen.

Achteraf hadden we ook wel gezien dat de man al minuten lang aan het zoeken was, maar we konden niet vermoeden dat hij er zo'n werk van zou maken om een ongevaarlijk hondje te vinden. Bovendien had men had ons niet verteld dat honden niet beneden mochten komen. Het had allemaal te maken met hygiënische overwegingen, dat honden niet toegelaten werden in ruimtes waar broodjes genuttigd werden.

We naderden Capri. Het ligt heel dichtbij de kust. Ik had het idee dat het een afstand was die zwemmend te overbruggen was en vroeg me dan ook af, waarom die tocht in Sorrento moest beginnen. Het zal wel te maken hebben met bus en treinverbindingen of mogelijk een geldkwestie. Op tweehonderd meter varen valt weinig te verdienen. Als we aan komen in de haven van Capri dan krijg ik het zelfde gevoel als bij aankomst in Almalfi, Positano, aan de Costière Almalfitana: het door mensen gecreëerde paradijs.

Citroenbomen, vijgenbomen, palmbomen en Oleanders. Ik moet weer aan de Vesuvius denken. Een beving zo sterk dat hij een barst heeft veroorzaakt aan de Amalfikust waardoor Capri is ontstaan.

Dezelfde soort huizen, grotendeels wit. Huizen voor de rijken zo dicht op elkaar gepakt dat het een onwerkelijke wereld wordt. Het ideaal van het paradijs: alleen maar schoonheid, zonder een enkele dissonant. Geen armoede, geen normale wereld, slechts rijkdom. Rijkdom, saai van homogeniteit. Hier gaat voor mij de schoonheid verloren, er zit geen spanning in. Hier speelt zich slechts een deel van het leven af:… nietsdoen.

Misschien is 'nietsdoen' wel leuk, maar als toeschouwer heeft het mij niets te bieden.

Het 'Dolce farniente' is plezierig voor degene die zijn schaapjes op het droge heeft en zijn optrekje heeft op Capri, maar als toeschouwer is er weinig spannends aan te beleven.

We stappen van de boot af en komen aan bij een boordevol terras waar het vechten is om een plekje. Het lijkt wel of niemand hier zijn plaats wil afstaan en na een tijdje geven we de moed op. Een moment overleggen we of we de 'funicolavia' (kabelbaan) omhoog nemen of dat we de intense klim te voet zullen doen. We gaan lopen, eindeloos trappen op, en komen aan bij de 'piazzetta', een terras van waaruit je over het hele eiland kunt kijken. We lopen door een mondain winkelstraatje, waar vooral veel souveniers te koop zijn. Auto's rijden er gelukkig niet, slechts enkele voertuigen om koffers te vervoeren en mogelijk wat spullen voor de lokalen, of Rocco Barocco met zijn opzichtige voertuig, een soort taxi, die mensen naar hun bestemming brengt. De taxi van Rocco trekt veel aandacht vanwege de speciale behandeling die het voertuig heeft ondergaan. Het lijkt alsof men met een zaag de bovenzijde van de auto heeft afgesneden, met ruiten en al, zelfs de voorruit. Achterin heeft men allemaal banken geplaatst, met daarboven dekzeilen, die de passagiers moeten beschermen tegen de zon. Verder is de taxi in ludieke kleuren geschilderd. Een enkele bus rijdt er. Capri is ongeschikt voor verkeer.

We staan nog wel even stil bij een prachtige schilderachtige kerk: de Santo Stefano.

De hele omgeving doet me nogal decadent aan, mooi, maar te…

Het is een mooi moment om naar de ijscoman te stappen, een 'cono' uit te zoeken, met twee 'pallini'. Drie balletjes zouden er ook wel ingaan, maar voordat je afgerekend hebt, stroomt het gesmolten ijs al langs je vingers, zo heet is het er. Je weet niet goed of je telkens eerst je handen moet aflikken of het ijs, zo snel gaat het. Beschutting is er nauwelijks.

We klimmen verder de trappen op via hele smalle weggetjes. Voortdurend passeren we huizen met prachtige tuinen en eindeloze uitzichten over het water. Mensen die van al die prachtige zaken genieten zie je amper. De weggetjes worden geflankeerd door duizenden Oleanders, die prachtig in bloei staan. Dat is een foto waard.

Er komt geen einde aan de wandeling naar Monte Tiberio, de plek waar keizer Tiberius ooit een paleis heeft laten bouwen om van daaruit zijn grote rijk te besturen.

Ik heb me laten vertellen dat Tiberius daar grote orgiën organiseerde, maar dat is niets bijzonders, want de meeste keizers waren daar niet afkerig van. Macht en sex hebben een nauwe relatie.

Op het moment dat we op dat punt aankomen hebben we niet meer de moed om naar binnen te gaan. Onze watervoorraden zijn bijna op en we moeten op tijd weer met de boot terug. Gelukkig gaat het naar beneden een stuk sneller. Op de boot hebben we nog wat te overpeinzen: 'Was Capri, na de plaatsen aan de Amalfikust gezien te hebben een 'va vista'? (moet gezien worden?)

Mooi was het zeker, maar het was ons een te gave wereld, te eenzijdig wat de aspecten van het leven betreft. We konden ons goed voorstellen dat degenen die veel geld hebben daar een optrekje neerzetten om tot rust te komen, maar dan moet je al die toeschouwers op de koop toe nemen. Nee, Capri, je bent wonderschoon, maar van jou word ik niet wakker 's nachts. Je hebt me niet kunnen shockeren. Zelfs de ober op het terras straalt iets uit van de verveling: ook als ik niet vriendelijk ben dan is het terras toch vol!

'Dag Capri, je viel me niet tegen, maar ook niet mee. Arrivederci…?'

13

Pompei

Wat Pompei is gebeurd en Herculaneum, had Napels ook kunnen gebeuren en kan Napels dus ook ooit gebeuren. De steden zijn als het ware met elkaar vergroeid.

Napels heeft geluk gehad, maar of dat geluk eeuwig zal duren is nog maar de vraag.

Eén ding weet men zeker: de grote stenen klomp die de opening van de Vesuvius verspert zal ooit met een geweldige klap uit de kratermond springen, waarschijnlijk in miljoenen stukken en zij zullen dood en verderf zaaien in de verre omgeving. Napels kan net zo makkelijk getroffen worden als de ooit zo ongelukkige steden Pompei en Ercolano, zoals men Herculaneum nu noemt. De naam Herculaneum verraadt de Griekse afkomst.

Voor de Romeinse tijd vestigden Grieken zich in Zuid-Italië om handel te drijven. Omdat Griekenland op eigen bodem niet voldoende kon groeien wat de handel betrof, stichtten ze koloniën langs de kusten van de Middellandse Zee, een vorm van expansie.

Ze zijn nog steeds duidelijk te onderscheiden, de types met duidelijke Griekse trekken.

De Italiaan is 'un popolo misto', een mengvolk. Trekken van allerlei volkeren zitten erin. In bepaalde streken zijn de specifieke trekken van een bepaald volk nog herkenbaar.

Eén dag Pompei moest voor ons een afronding betekenen voor de indruk die Campania op ons zou maken. Het mooiste moet je voor het laatst bewaren. Dat deden we dus ook.

Pompei, de stad, die door een grote ongelukstreffer in 79 na christus onder een aslaag van zeven meter bedolven werd en om die reden later een museum geworden is van wereldformaat. Maar dat zou nog heel lang duren.

Ik heb me er altijd over verbaasd, dat mensen aan de voet van een vulkaan gaan wonen.

Als er lange tijd geen uitbarsting is geweest, dan heb ik het gevoel dat de angst voor het gevaar weg ebt en dat de moed, waarschijnlijk zelfs overmoed, met het jaar toeneemt. Het lijkt wel of men de ogenschijnlijk goedmoedige lobbes, die af en toe een pijpje rookt, wil uitdagen. Ieder jaar schuift de bebouwing wat op, omhoog, in de richting van de kraterrand. Toeristen trekken in grote hordes naar de rand om in de ontzaglijke mond te kijken. Het is niet alleen maar een grote bek, die de Vesuvius heeft... hij is ook in staat tot een hele grote dadendrang.

Hij is in staat om rook, stenen, as, stof, gas en gloeiend hete lava uit te spuwen.

In een omtrek van tien kilometer kan alles bedolven worden. Hele steden kunnen verborgen worden onder meters dikke lagen vulkanisch materiaal. Een lavastroom kan soms langzaam stromen. Af en toe is het te kanaliseren. Maar als dat niet lukt, dan staat er een grote ramp te gebeuren.

De stof en stenenregen valt ook niet te ontwijken. Het is mogelijk dat een stofwolk met een vaart van honderdzestig kilometer per uur naar beneden komt. Als je te voet bent, of per fiets, dan ben je reddeloos verloren.

Met een auto zou men een dergelijke wolk voor kunnen blijven. Maar wat zal er gebeuren indien heel Napels en omstreken op hetzelfde moment de auto moet pakken om te ontvluchten aan de ramp? Er rest nog slechts de keus: sterven in de auto of buiten de auto. Ik geloof dat er moeilijk een scenario op te maken is. Het voorspellen van zo'n ramp is ook al een moeilijke zaak. Was het zo makkelijk geweest om een voorspelling te doen, dan waren er niet zo veel mensen omgekomen door een uitbarsting.

Ik heb het gevoel dat mensen leren leven met het eventuele gevaar en dat men er zeker niet bij zal stilstaan dat er iedere dag een catastrofe op de loer ligt. Als er gassen neerdalen, dan is men reddeloos verloren. Je stikt en rennen voor je leven zal zinloos zijn.

We lopen het opgegraven deel van Pompei binnen en zien enkele archeologen bezig.

Het lijken me studenten. Met een klein borsteltje gaan ze te werk. De borstel gaat net zo lang op en neer totdat een voorwerp te voorschijn komt. Een dag, of soms dagen zitten ze te poetsen op enkele centimeters. Te veel is er al vernield tijdens vroegere opgravingen.

Veel is er gestolen. Wat er nu te voorschijn komt moet in goede handen zijn. Dit zijn de bewaarders van onze geschiedenis. Ik neem mijn petje voor ze af. Zoiets als een elektrische tandenborstel schijnt hiervoor nog niet uitgevonden te zijn. De borstelaars kijken niet op of om, gefascineerd als ze zijn door hun werk. En dan in die immense hitte, die de borstelaars geselt, hurkend.

We wandelen langzaam verder. Het wemelt er van de honden. Zo te zien zijn het zwerfhonden, mager als ze zijn. Vreemd, want in geen enkel museum wordt een hond toegelaten, maar hier wel. Het lijkt wel of het hun constante verblijfsplek is.

Ze zien er niet kwaadaardig uit en dat zijn ze ook niet. Mensvriendelijk zijn ze zelfs.

'Hoe zouden ze aan eten komen?', vroeg ik me af.

We wandelden naar het restaurant, want we hadden er een behoorlijke reis opzitten.

Een hapje en een drankje zou ons goed doen. Naast ons kwam zo'n goede lobbes zitten.

We keken om ons heen en tot onze verbazing zagen we, dat de honden hier en daar een hapje meekregen. De kok gooide ook wel eens wat door het keukenraam. Ik kreeg het gevoel dat de honden geaccepteerde bewoners van Pompei waren.

Het 'Cave canem' (Pas op voor de hond) hoefde men hier niet op bordjes te vermelden.

Duidelijk is het me nooit geworden, dat de honden hier zo vrij rond mogen lopen. Begrijpelijk is het wel, indien men het gedrag van deze dieren observeert. De meesten slapen de hele dag door. Op iedere hoek van de straat vinden ze een fonteintje. Door de enorme hitte drinken veel toeristen uit de fonteintjes. Het meeste water komt in het betonnen bak terecht en voordat het doorgespoeld is kan de hond wat slobberen.

Bij het restaurant worden ook waterbakken neergezet. Een hondenleven is hier misschien geen slecht leven.

We lopen verder over de Romeinse wegen, die bestaan uit grote keien, ontstaan uit lava.

Kasseien noemen we ze hier wel. Uitgesleten gleuven geven aan dat er vroeger karren over reden die in de loop der tijd sporen hebben gevormd. Bakkers, slagers, timmerlieden, hebben hier hun spullen vervoerd naar hun bedrijf.

Hier en daar zijn er verhogingen aangebracht in de weg, de stapstenen, voor het geval dat het water hoog staat. Dan is het nog mogelijk om met droge voeten de overkant te bereiken.

We wandelen verder en komen langs glazen vitrines.

Er liggen mensen in..., tweeduizend jaar oud.

Alle botjes zijn intact gebleven, met alles wat eromheen hoort. Het lijkt alsof de uitdrukking die de persoon had tijdens de ramp, geconserveerd is door de massa die hem of haar omgeven heeft. Een mens in doodsnood, vluchtend, de handen grijpend naar zijn hoofd, of beschermend voor een kind. De tragedie moet verschrikkelijk zijn geweest. Op deze plek kun je er enige voorstelling van vormen. Ik kijk naar de Vesuvius en denk:

'Colpa tua' (Jouw schuld), maar ik durf het niet hardop te zeggen. Een Italiaan zou het godslasterlijk kunnen vinden, of misschien mag je daar geen grappen over maken. Ik weet het niet.

De gestorven Romein die voor me ligt zou misschien gedacht hebben: maak god 'Vulcanus' niet boos. Ze geloofden immers in meer goden. Misschien waren ze het geloof in de weergoden wel kwijt geraakt na een boosaardige bui van de vulkaan. Overal zie je zuilen staan, die ons herinneren aan goden. Voor ieder deel van het leven hadden ze een god en waarom ook niet. Mensen hebben de goden zelf gecreëerd. Voor alles wat men niet begreep werd een god in het leven geroepen. Later zijn al die goden aan de kant gedaan en is er één voor in de plaats gekomen. Die ene god heeft de kwaliteiten van alle goden verenigd in een persoon. Knap is dat. God als een soort Leonardo da Vinci, de alleskunnende God. 'Eéngodendom' is mensenwerk, net als 'veelgodendom' mensenwerk is. Waarom hebben ze alle goden toch afgeschaft? Was het niet een beter idee geweest de oude goden te handhaven en er voor te zorgen dat ze in volstrekte harmonie zouden samenwerken. Samen het werk doen van die ene God. Alles zou bij hetzelfde gebleven zijn. Er zouden geen stammen geweest zijn die met geweld onderworpen zouden worden. Het ééngodendom heeft wat te weeg gebracht.

Hier in Pompei is een beschaving die zo hoog ontwikkeld was, dat het veel weg heeft van onze huidige beschaving. De rijke lui kochten mooie huizen langs de randen van de baai, maar ook wel in de stadjes die later bedolven zouden worden. Alle facetten van het leven speelden zich hier af: politiek, cultuur, godsdienst, nijverheid, handel, geldzaken…

Totdat de vulkaan roet in het eten kwam gooien:… weg beschaving, om vijftien, zestien eeuwen later weer boven water te komen.

We lopen langs een soort sauna. 'Caldarium, tepidarium, frigidarium. (warm, lauw en koud waterbad), vergelijkbaar met de huidige sauna. Na het warm worden, weer afkoelen. Een zwembad is er ook bij. Even verder is een 'palaestra', een sportlokaal.

Eigenlijk is het een soort uitgebreide sauna, meer een fitnesscentrum met alles er op en eraan. Alles verwarmd op een wijze waar we ons nu niet voor zouden hoeven schamen.

'Baden' als een 'way of living'. Wat was het volk toch van een hoogstaand ontwikkelingsniveau, onvoorstelbaar.

De muren zijn beschilderd met prachtige fresco's, een aantal zijn nog in goede staat.

We komen door een straat waar talloze winkeltjes waren. Heel veel handelaren waren er, maar ook winkeliers.

Preuts waren ze niet, die Romeinen, want in Pompei tref je talloze bordelen aan. 'Red light district', maar dan bij 'kaarslicht'. Wat dat betreft is er niet veel veranderd.

Talloze huizen zijn versierd met fallussymbolen. Ook wat dat betreft waren ze niet hypocriet. Ze deden geen moeite om er iets geheimzinnigs van te maken. Ook dat heeft denk ik te maken met één of meer goden. De fallus diende de mensen te beschermen voor het boze oog. Zou dat misschien een kracht geweest zijn tegen het kwaad, de duivel, of een soort duivel? Wat maakt het uit, zij trachtten zich tegen het kwaad te beschermen op hun manier, wij doen het op onze manier.

We wandelen door. De zon begint ons doorzettingsvermogen behoorlijk aan te tasten.

Achterin het park komen we nog bij een prachtig amfitheater. Het is grotendeels intact. Hoe is dat mogelijk met zo'n lading as op je hoofd. Onze hond gaat de hoofdrol spelen in de arena. Hij wandelt naar de middenstip en gaat liggen. Met haar snuit op de grond wacht zij de komst van haar tegenstander af. Zij zal het moeten stellen met haar tanden. Wat zal de tegenstander mee brengen? Een drietand, een net, een ketting?

Afwachten. Enkele toeristen aanschouwen het toneel en kunnen waarschijnlijk het plezier van ons gezicht aflezen.

Dan werpen we nog een blik op het plein, waar de gladiatoren oefenden. Wreed was dat.

Meestal was het slavenwerk. Een moment gaan alle gruwelijkheden die zich destijds afspeelden door mijn hoofd. 'Brood en spelen', denk ik dan. Geef het volk 'brood en spelen' en ze zullen zoet zijn. Hoewel…. zo zoet zijn ze tegenwoordig niet.

Ook nu lijkt het of het niet alleen maar 'brood en spelen' is, maar dat er vooral veel bloed moet vloeien. Het blijft allemaal een beetje bij het oude.

Het is nog een heel eind om bij de ingang te komen en het wordt al laat. We zijn dorstig en hongerig. Bij de uitgang is een leuk restaurant. Terwijl we ons tegoed doen aan het eten laten we alles nog eens door ons heengaan.

Tegenover ons zit een jongeman van een jaar of dertig. 'Abbronzato' (gebruind), een knappe vent. Het is hem niet ontgaan dat we een 'bella bionda' bij ons hebben.

Af en toe gaat zijn blik onze richting uit, maar niet te opvallend. Dat is on-Italiaans.

Het moet een beetje raffinement hebben. Heeft het ook.

'Zal ik het dan toch wagen een provocerende opmerking te maken?'

'Scusa signore, lei…, sa…. che 'Il Vesuvio' esplodera fra un momento, perchè si arrabbi?' (Sorry meneer, wist u dat de Vesuvius dadelijk explodeert, omdat hij zich boos maakt?)

Een grote glimlach komt er op zijn gezicht en hij weet mijn provocatie meesterlijk terug te kaatsen.

'Meneer, dat de vulkaan explodeert en dat u metersdikke aslagen over u heen krijgt, dat interesseert mij niets. Er is maar één ding waar ik me druk om maak en dat is dat ik naast uw prachtige dochter kom te liggen. Een mooiere manier om te sterven is er niet.'

Hij schudde me de hand en zei: 'Ci vediamo signore' (We zien elkaar meneer) en met een glimlach verdween hij, enkele meters verder keek hij nog eenmaal om en zwaaide.

14

Giorgio

Maanden voor de vakantie liet ik mijn haren groeien. Daar had ik een speciale reden voor.

Kappers interesseerden me in die zin, dat je op zeker moment een afkeer van je eigen hoofd kreeg, omdat het eruit zag als een gazon dat nodig gemaaid moest worden.

Je keek niet graag meer in de spiegel. Een slordige 'look' kon best aardig zijn, maar dan moest je zelf vorm geven aan die slordigheid. De natuur zo maar zijn gang laten gaan, dat werkt niet. Op de een of andere manier raken de verhoudingen zoek.

Een ongeschoren gazon is ook niet mooi. Het moet glad zijn.

De ongelijkmatigheid van een kapsel deugt net zo goed niet. Er zit geen fatsoen in; je moet er echter wel het type voor zijn, voor fatsoen, maar ook voor onfatsoen.

Ik vond mezelf niet het type om een onfatsoenlijk kapsel te dragen. Waarschijnlijk heb ik daar een te doorsnee hoofd voor. Kies het kapsel waar je je goed bij voelt.

Af en toe dan toch maar een bezoekje aan de haarstylist brengen.

Voor de vakantie spaarde ik mijn haar een beetje. Ik gaf het even de kans om zijn onfatsoen te tonen.

Zodra we aankwamen te Bolsena, bracht ik een bezoek aan 'Il barbiere,' de kapper.

Giorgio heette hij.

Waarom had ik speciaal Giorgio uitgekozen om mijn haren weer op orde te brengen?

De haardracht van Giorgio zag eruit als dat van iemand, die net uit zijn bed komt, dat smeekte om onderhoud: Woest krullend, lang, haren uit de neus, uit de oren, en uit de nek, kortom hij gaf je het gevoel dat er geen andere kappers waren, en jezelf knippen is lastig.

Zijn wangen waren 'ispidi', stoppelig, en zijn gebit voldeed niet aan het huidige schoonheidsideaal. Integendeel: Fris zag Giorgio er niet bepaald uit.

Toch was hij mijn favoriet. De typische Italiaanse sfeer: Nog ouderwets, men kwam nog om zich te laten scheren, met een echt scheermes dan wel, zoals je ze op het strand vindt; die vormgeving. Er werd nog niet gewerkt op afspraak. Velen zaten er te lezen in een krant of een tijdschrift. Vooral oude mannetjes. Wachten maakte hen niet zenuwachtig.

Met plezier betaalde je als je klaar was: 'Vijftien gulden', geen prijs.

Giorgio had wel wat te vertellen, en dat was ondermeer de reden dat ik altijd hem verkoos, boven anderen; het gevoel van het dorpskappertje, dat niet helemaal met de tijd was mee gegaan.

Arm was hij, zo arm als een luis. Brutaal als ik was stelde ik hem de vraag hoe dat kwam.

'Le tasse,' de belasting, zei hij, 'terribili,' vreselijk. De belastingen waren ondraaglijk voor hem.

'Hollanders betalen ook belasting,' zei ik tegen hem.

'In Italië betaal je per vierkante meter,'zei Giorgio. 'In de vakantie draai ik best, maar er zijn tijden, dat ik in geen dagen een klant heb. Daarom ben ik zo arm. De belasting kleedt me helemaal uit.'

'Bij ons in Holland betaal je naar omzet,' vertelde ik hem. 'Dat is veel eerlijker.'

Giorgio was het volledig met me eens: Daar kwam ik voor, proberen een volk te doorgronden. Wat was er geschikter voor, dan de lokale kapper!

'Waarom gaat het zo slecht met Ferrari,' vroeg ik Giorgio.

Het waren de jaren dat Ferrari het af moest leggen tegen Renault.

'Troppa politica,' was zijn antwoord. Het kwam er op neer, dat Ferrari in staat was om altijd te winnen, maar het was een politieke zaak. Een kwestie van onenigheid binnen de eigen gelederen. Een prachtige wijze uitspraak vond ik het: 'Troppa politica,' of het een politieke zaak was, of een auto hard kon rijden of niet. Ik dacht altijd, dat het een geldzaak was, een zaak van de juiste technici, of de beste coureur in huis te hebben.

Het was een ingewikkeld stel radertjes; alle radertjes moesten perfect draaien.

Mijn knipbeurt ging snel voorbij, dankzij deze conversatie met Giorgio.

Ik had het gevoel, dat hij met opzet wat meer tijd aan mij besteedde, omdat hij het praten met de Hollander ook amusant vond. Een half uur reserveerde hij dan ook voor mij. Veel tijd voor vijftien gulden. Dat kon natuurlijk niet uit. Ik gaf hem twintig gulden. Dik tevreden groette hij me, wenste me een hele fijne vakantie toe en hij sprak de hoop uit me spoedig weer te zien.

Na enkele weken hadden mijn haren wel weer behoefte aan de nodige aandacht.

Wederom kozen zij Giorgio uit als favoriet. Hij herkende me.

'Buon giorno signore, come sta? Si sieda,' Goedemorgen meneer, hoe gaat het met u, gaat u zitten.

Ik nam een tijdschrift en trachtte achter de laatste Italiaanse nieuwtjes te komen: De Italiaanse politiek, woelig als die altijd was, de vuile handen affaire, over de maffiapraktijken, (le mani pulite), de foute gedragingen van Berlusconi.

Dan ben ik aan de beurt:

'Signore posso pregarla?' Meneer, mag ik u verzoeken?

Ik neem plaats in een oude, versleten, met leer beklede stoel. De lappen hingen er bij.

'Hoe lang blijft u nog?', vroeg Giorgio.

'Nog drie weken,' was mijn antwoord.

'Een lange vakantie heeft u. Zeker Professore?'

'Klopt, in de geschiedenis.'

Toen Giorgio dat hoorde, vertelde hij, dat hij zeer geïnteresseerd was in de geschiedenis.

'Geeft u ook les over de Romeinen?'

'Ja, ook over de Romeinen.'

'Interessante', zei Giorgio.

'Ook over de Etrusken?'

Ik maakte hem duidelijk, dat de Etrusken uiteraard een belangrijke rol in de geschiedenis gespeeld hadden, maar toch niet zo bepalend als de Romeinen.

Giorgio was vooral geïnteresseerd in Etrusken. Uiteraard omdat Bolsena een Etruskisch stadje was.

Hij was een fervent grafzoeker van Etrusken.

'Overal hier in de buurt liggen nog graven van Etrusken, wist u dat?'

'Dat weet ik Giorgio, daarvoor heb ik deze streek op gezocht.'

'Bello, bello, bello, als u wilt, dan breng ik u naar een aantal van die graven toe.

'Dat vind ik een sympathiek aanbod,' zei ik, 'ik wil het met plezier aanvaarden.'

'Wanneer schikt het u Signore?'

'Wat mij betreft, mag het meteen vanmiddag al, maar ik moet het wel even met mijn vrouw overleggen.'

Mijn vrouw vond het een uitstekend idee. 's Middags om dertien uur, afgesproken tijd, stonden we voor de kapperszaak. Giorgio stond al klaar in zijn roestige, oude Fiat.'

We stapten uit onze auto; ik stelde mijn vrouw aan hem voor.

'Rijd maar achter me aan,' zei Giorgio. Hij koos een klim uit, die uitzicht bood over het meer van Bolsena.

We reden richting Orvieto. Je moest op deze klim geen ander tegen komen; het was er te smal. Boven op de heuvel aan gekomen moesten we van deze weg afbuigen richting San Lorenzo Nuovo.

We genoten van de fenomenale uitzichten over het landschap van Lazio. Wat een schoonheid, wat een stilte, maar vooral de puurheid, die er nog is. Je ruikt de aanwezigheid van de Etrusken nog; een landschap, niet bedorven door restaurants, verkeersborden. De bebouwing heeft zich nog niet meester gemaakt van de omgeving van het meer. Heel bewust heeft de politiek gesteld: 'Hier leefde vroeger de Etrusk, dit mag niet veroverd worden door de toerist.' Daar zullen we het mee moeten doen.

Dat is, wat ons zo aantrekt in deze streek. De oudheid valt over je heen, verzwelgt je. Magisch.

Giorgio vertelde, dat de Etrusken hem altijd al bijzonder geïnteresseerd hadden.

Duizenden graven lagen er. Vele waren ontdekt, maar talloze ook niet.

Zelf had hij er ook een aantal gevonden. Hij had er een neus voor. Zijn vondsten waren niet de mooiste, maar toch...

Ik kon me de passie voor graven maar moeilijk voorstellen. Heb je eenmaal wat van die graven gezien, dan weet je het wel. Niettemin vertelt ieder graf zijn eigen verhaal. Bij Giorgio was het denk ik niet zozeer de schoonheid van het graf, alswel de ontdekking er van. De onbeheersbare drift een graf te vinden, een stuk historie boven de grond te halen.

Zelf vond ik het nogal luguber; het idee, er met je spa op uit te trekken, in je eentje, en aan het graven te slaan.

Al pratend kwamen we aan bij een klein landweggetje. Het was niet bestraat. Tussen de akkers door kronkelde het, en zocht zijn weg naar het bos. Daar moesten we in, links af.

Giorgio stak zijn arm uit het raam: 'Sempre diritto, alsmaar rechtdoor, tien minuten, dan ben je er.'

Hij ging niet met ons mee, hij wilde naar zijn bijenkorven in Orvieto.

We zetten onze auto neer aan het begin van het landweggetje. Aan het begin daarvan stonden enkele eiken, die een zware schaduw wierpen op de aarde. We waren niet alleen.

Enkele dames waren ook op het idee gekomen die plek te bezoeken. Ze kwamen vast niet voor de Etrusken zo te zien: Kort gerokt en hoog gehakt: Hoeren.

Dames met een zwarte huidskleur. Aangezien ik ook een dame bij me had, niet kort gerokt, maar wel cultureel ingesteld, deden ze geen enkele moeite me te benaderen. Daar viel niets aan te verdienen. We vonden het wel een beetje angstig.

Stond je daar in een landschap, waar je bijna geen sterveling ziet, zet je je auto neer, naast een paar hoeren.

Ons bekroop het akelige gevoel in een maffiascenario terecht gekomen te zijn.

'De kapper zou toch geen connectie hebben met de maffia?' 'Bellen die hoeren zeker hun vriendjes op, om eventjes die auto weg te halen.' We vonden het wel 'unheimisch.'

We verzamelden moed en hielden ons maar vast aan het idee, dat de maffia wel wat beters te doen had.

We vervolgden onze weg. De vijf minuten van Giorgio bleken er zestig te worden.

Onderweg, naar de graven, viel het ons op, dat er toch wel meer bezoekers kwamen, dan wij alleen. Het moest er toch niet zo stil zijn als het leek.

Het zou niet overdreven geweest zijn hier een bord te plaatsen: 'Slipgevaar.' De bodem was vergeven van de 'preservatieven', meestal gewikkeld in een papieren zakdoek.

We aarzelden dan ook niet om deze weg een naam te geven: 'Condoomroute.'

Eindelijk waren we er: 'Een graf.'

Een diepe spelonk leidde ons naar het graf, van tufstenen blokken. Verder was er niets te zien, geen schilderingen aan de wand; niets.

De historie keek ons aan, raakte ons aan met zijn vingers. Stil lieten we het op ons inwerken.

We besloten weer huiswaarts te keren. De auto stond er nog . Misschien waren ze bang voor onze hond. Honden dwingen bij een Italiaan altijd respect af.

Ze vragen je altijd: 'Bijt hij, mag ik hem aaien, hoe oud en hoe zwaar?'

Toen ik de Italiaanse taal nog niet machtig was, had ik de antwoorden op deze vragen uit mijn hoofd geleerd. In die volgorde beantwoordde ik ze dan ook; zelfs als ze de vragen in omgekeerde volgorde stelden. Ze begrepen me in ieder geval.

We daalden de berg af, genoten voor de tweede maal van de schitterende uitzichten over het 'Lago,' en gingen, thuis gekomen, geheel voldaan aan de 'vino', uiteraard een 'Orvieto bianco,' onze favoriet.

De volgende dag besloot ik de route nog eens te rijden op de fiets, maar dan natuurlijk met vermijding van de 'Condoomroute.'

Ze stonden er weer, onder de eik, in de schaduw.

Nu had ik mijn begeleidster niet bij me. Ze zagen me aankomen, bezweet van de immense inspanningen.

'Vuoi scopare,' riepen ze me toe in koor?' 'Wil je neuken?' Letterlijk betekent het: 'De bezem er door halen. La 'scopa,' is de bezem.'

Ik wilde niet onbeleefd zijn en schreeuwde ze toe: 'Domani,' (Morgen)

Een fractie van een seconde twijfelde ik, of ik mijn testosteron in het frame van de fiets zou steken of in een 'Puta' (hoer). Ik schakelde nog eens op, gaf nog eens extra kracht aan de pedalen en liet duidelijk blijken dat ik andere intenties had.

15

Guasto al motore (I)

De dag voor het aanvaarden van de terugreis van Bolsena naar huis wilden we nog wat spullen halen voor onderweg: versnaperingen, geld om het verblijf op de camping te betalen en nog wat zaken.

Samen wandelden we naar de parkeerplaats. Stoffig was het. De brandende zon zorgde er voor dat de kleiachtige, maar ook vulkanische grond was verworden tot een flinterdunne stoflaag. Iedere auto die de oprijlaan op, of af reed zorgde voor wolken stof.

Alle geparkeerde automobielen werden voorzien van een film stof die de oorspronkelijke kleur wegmoffelde. Toch was het mogelijk om onze Engelse Rover te ontdekken tussen alle andere verkleurde vehikels.

Ik opende de deur. Binnen was het een graad of vijftig. Dus vlug starten en wegrijden om de temperatuur draaglijk te maken. Terwijl ik de sleutel in het contact stak om te starten werd ik onaangenaam verrast: de auto die ons het eerste jaar probleemloos op deze plek had afgezet, was kennelijk niet van plan ons altijd te behagen. Hij deed helemaal niets. Het matige vertrouwen dat ik toch al had in deze onberispelijke beauty werd nogmaals versterkt. Shit en dat op de dag voordat je zult vertrekken.

Dan maar naar de camping terug om een of andere technicus te zoeken. Die werd gevonden. Zelfs eentje met allerlei meetapparatuur.

Helaas, we bleven teleurgesteld. De metingen wezen uit dat er iets niet in orde was in het elektronische circuit. Meten was één zaak, de problemen de wereld uit helpen was een andere zaak.

Dus gingen we op zoek naar een adres waar men gespecialiseerd was in dit merk.

In Viterbo was er een.

Het duurde niet lang of de sleepwagen kwam er aan om ons te verlossen van onze English lady in British racing green. Aanvankelijk vond ik het wel spannend om deze naam uit te spreken, maar naarmate het teleurstellende gedrag van het prachtige automobiel vervelende vormen begon aan te nemen, verdween mijn liefde voor deze schone klanken.

De wagen werd op de transportwagen geladen en verdween richting Viterbo.

'Belt u morgen maar, dan is hij wel klaar.'

'Dat zal ik doen', zei ik.

'Ik breng jullie wel naar Viterbo', zei Wietse tegen me. Hij was ook degene die de auto had nagemeten. Heel toevallig had hij een automobiel van hetzelfde merk. Hij werd echter nooit in de steek gelaten. De zijne was meer een Japans fabrikaat en de mijne echt Engels…

De volgende dag kwamen we bij de garage aan en de auto stond al klaar.

Ik riep een monteur om te vragen of de auto in orde was en wat het probleem was.

'We hebben er nog niets aan gedaan', zei hij, 'maar ik kijk wel even!'

Hij haalde de verdelerkap er af en maakte vervolgens de contactpunten schoon en sprayde ze in met een vochtverdrijver.

'Ik moet er wel mee naar Holland', zei ik tegen hem.

'Niente problema signore!' (Komt voor elkaar!)

Hij startte de auto en hij deed het.

'Wat kost het?'

'Niente.'

Ik gaf hem vijf euro en we reden terug.

Het volste vertrouwen had ik er niet in, want al vaker had de dame kuren vertoond, waarvan de oorsprong meestal duister was. Om verschillende redenen kon je blijven staan. Nooit kwam je te weten of het om de ene reden was of om de andere. Big surprise was het credo. Ik kreeg het gevoel dat de auto steeds een spelletje met ons speelde. Was het ene elektronische probleem opgelost, dan had hij, of zij, zoals een Engelsman zou zeggen, weer een andere truc in huis om je te laten staan.

Met de nodige argwaan zijn we de volgende dag toch maar gaan inpakken om de terugreis te aanvaarden.

Bolsena, Orvieto, Firenze, de Apenijnen door. Vervolgens de Po-vlakte, langs Trento, Bolsano. We naderden de Mautstelle bij Vipiteno, vlak voor de Brennero.

Het liep allemaal als een trein. Het was pas half vijf 's middags en dan al aan de voet van de Brenner, met aanhanger dan wel te verstaan.

'Wat is het toch vlot gegaan!', zei ik tegen mijn vrouw. Als het moet dan kunnen we de Brenner ook nog meenemen en in Oostenrijk kamperen.

'Ja, geweldig, zo vlot is het nog zelden gegaan! Maar wat doe je nu? Waarom rem je af?'

'Ik rem niet. Hij doet het niet meer!'

Ik kon de wagen nog net laten uitrijden naar de 'parkeerplaats' voor de Mautstelle. Er was geen beweging meer in te krijgen.

Vervolgens belde ik de verzekering op. Het contact liep via Rome. Van daar uit zou men een sleepdienst bestellen.

Ik kreeg een juffrouw aan de lijn:

'Pronto, chi parla?' (Hallo, wie spreekt er?)

Ik legde uit, dat ik met problemen stond voor de Mautstelle bij Vipiteno op de grens van Italië en Oostenrijk, aan de voet van de Brennero.

'Signore, ik begrijp u niet! Kunt u de boodschap herhalen?'

Ik herhaalde de boodschap. Mij was duidelijk dat de betreffende juffrouw nog nooit van Vipiteno had gehoord en misschien ook niet van een Mautstelle.

Ondanks mijn onberispelijke Italiaans en mijn glasheldere aanduiding van de plek waar we gestrand waren, vroeg ze me of ze een Italiaan aan de lijn kon krijgen om het probleem duidelijk te maken.

Vlak naast me stond heel toevallig een aardige jonge Italiaanse dame. Ik legde haar mijn probleem uit en vroeg of zij de telefoon over wilde nemen, om de boodschap over te brengen. Ook zij legde heel duidelijk uit op welke plek we stonden. Zelfs de kleur en het merk van de auto met caravan werden vermeld. Bovendien hadden we de motorkap openstaan en stonden we op een nogal ongebruikelijke plaats.

Het gesprek duurde minstens tien minuten. Mij werd duidelijk dat ook haar boodschap niet goed overkwam. Ook zij moest keer op keer haar boodschap herhalen.

Ik kreeg het gevoel dat ik met een stelletje randdebielen te maken had. Degenen die de telefoon bedienden waren waarschijnlijk op geen enkele wijze berekend op hun taak.

Eindelijk gaf de juffrouw ons de telefoon terug en zei, dat over een half uur een sleepwagen zou komen.

De sleepwagen kwam langs na een half uur en reed tot onze grote verbazing door, terwijl de chauffeur wel naar ons keek.

'Die zal dan wel voor een ander bedoeld zijn', zeiden we tegen elkaar. Vervolgens reed de sleepwagen de Brennero op.

Een uur later kwam de sleep weer terug, maar zonder lading.

'Dan moet hij ons gezocht hebben', zeiden we tegen elkaar. Dus begon ik heftig te zwaaien naar de chauffeur van de sleepwagen.

Even later stopte hij bij ons en vertelde dat hij dacht dat we boven op de Brennero stonden. Hij was dus de hele Brennero over geweest.

'Maar heeft men u dan niet het kenteken van onze auto genoemd en de kleur en het merk van de auto en de caravan?', vroeg ik hem.

'Jawel, ik heb u wel zien staan, maar ik dacht dat u verderop stond. Dus u begrijpt wel…'

'Dat ik niet één, maar twee transporten moet betalen?'

'Exact', zei hij.

We kregen het Spaans benauwd. Eén transport naar Viterbo en twee bij de Brennero, dat waren er al drie.

'Maar wij hebben het goed doorgegeven', zei ik.

'Ik ben bang dat ze in Rome niet zulke goede oren hebben!'

'Mi dispiace', zei de man.

De hele caravaan moest op de sleepwagen gehesen worden. Eerst de auto. Aan een kabel werd de auto op de sleepwagen gehesen. Ik moest voorin plaats nemen met de hond.

Het was een hele toer om er in te komen.

'U mevrouw, mag plaats nemen naast mij', zei de chauffeur.

Op dat moment realiseerde ik me dat de wagen slechts hing aan een kabel, want de handrem bleek niet goed te functioneren.

Naast me, in de diepte, zaten twee jonge meiden in een Mini-Cooper te genieten van het schouwspel. We werden zelfs gefilmd door hen. Lachend zwaaiden ze naar me en wierpen me enkele handkusjes toe. Ondanks alle stress kon ik hun liefdevolle gebaar waarderen en kon ik er met moeite een glimlach uitpersen. Voor op mijn tong lag een drieletterig woord klaar, maar het bleef waar het was.

Daar gingen we, weer terug, richting Bressanone. Op een camping konden we niet terecht. Omdat het zo laat geworden was, waren alle campings vol.

'Je mag wel op het terrein staan bij mijn huis', bood de Italiaan vriendelijk aan.'

We dachten op dat moment nog, dat alles niet zo lang zou duren, dus deden we dat maar.

We kwamen bij de afslag naar een klein dorpje: Sciaves.

'Daar is het', zei hij. Het lag betrekkelijk hoog in de bergen.

Toen we bij een villa aankwamen die links van ons lag in de diepte, stuurde hij zijn wagen het weggetje in dat naar zijn huis ging.

'We zijn er', zei hij.

Onze caravan werd geparkeerd op een autokerkhof. Links en rechts van ons stonden allemaal wrakken. Auto's die hun laatste adem hadden uit geblazen op de snelweg.

'Moeten we hier staan?'

'Ja, maar dat zal toch niet zo lang duren?'

'We hopen van niet!'

'Wat gaat er met de auto gebeuren?'

'Die moet ik naar de dichtst bijzijnde garage brengen van dat merk!'

'En waar is de dichtstbijzijnde garage?'

'In Merano, signore!'

'Merano?, maar dat is nog eens zestig kilometer naar het zuiden, dat schiet lekker op. Is er dichterbij niets, bijvoorbeeld in Vipiteno of in Brixen?'

'Jawel, maar de garage moet van hetzelfde merk zijn als uw auto, anders krijgt u niets vergoed van de verzekering!'

'Ja, ja, ik heb het begrepen.'

De moed begon ons al enigszins in de schoenen te zinken.

'En hoe komt die wagen daar?'

'Met de sleepwagen!'

'Juist ja, dat wordt dus transport nummer vier.'

Daar stonden we dan tussen de wrakken. Geen aansluiting op stroom, een tank vol water en de porta potti half vol. Een douche nemen was er niet bij. Zo ongelukkig hadden we ons lang niet meer gevoeld. Erg tegemoetkomend waren de types niet, die op het bedrijf werkten. Zelfs de baas van het bedrijf, degene die ons vervoerd had, bood ons niet aan dat we wel gebruik konden maken van hun toilet. Of dat we water konden gebruiken bij hun bedrijf. Aangezien we nog steeds hoopten gauw geholpen te kunnen worden, zochten we geen hotel op,maar verbleven we in de caravan. De figuren die ons omgaven waren ronduit bot. Vriendelijkheid was hen vreemd. We hadden iets van tegemoetkoming verwacht gezien het aanbod op hun terrein te mogen staan. Maar ze keken niet naar ons om.

Het waren de types van de club der Hells Angels: zwaar gebouwde mannen met woeste baarden. Aangezien ze werkkleding aan hadden kon je niet zien of ze hier en daar ringetjes droegen of tatoeages. Op het moment dat we voor het eerst in de werkplaats konden kijken, werd onze fantasie werkelijkheid. Er stond een aantal motoren in de garage: Harley Davidsons. Het plaatje was compleet.

We belden de verzekering op met de vermelding waar we stonden. Het adres was hen bekend. Daar was niets mis mee. Op de vraag of we het transport vergoed zouden krijgen, kregen we als antwoord: in principe krijgt u slechts één transport vergoed.

Konden wij er wat aan doen dat we meerdere transporten nodig hadden?

Men zou het uitzoeken en ons zo spoedig mogelijk terug bellen. Dat gebeurde niet. Ondertussen was de batterij van de telefoon leeg gebeld. Gelukkig was er een restaurant in de buurt, waar we konden eten en de telefoon opladen.

De volgende ochtend werd de auto naar Merano vervoerd.

Ze zouden bellen wanneer de auto klaar was. Dat belletje bleef uit. Dus belden wij maar.

'Wanneer is de auto klaar?'

'Och meneer, we hebben helemaal geen tijd, het is vakantie en we zitten met een halve bezetting aan personeel!'

'Maar, we moeten naar Nederland terug en we kunnen hier niet blijven staan tussen de autowrakken!'

'Belt u dan morgen maar terug. We zullen zien wat we voor u doen kunnen.'

Aangezien de mensen in die streek onverstaanbaar Italiaans spraken lieten we het telefoontje liever over aan de baas van de sloperij. Zij spraken onder elkaar Duits.

De baas kwam ons de volgende dag vertellen dat de auto vrijdags klaar zou zijn.

We hadden dan al drie dagen doorgebracht in de caravan zonder voorzieningen.

Vrijdags zouden we de auto ophalen. De baas van de sloperij belde een taxi voor ons.

Een allercharmantste knappe taxichauffeur kwam ons afhalen in een prachtige BMW.

We stapten in en hij bracht ons naar Merano. Hij was een gezellige conversator en hij was in staat met zijn grote inlevingsgevoel ten aanzien van de precaire situatie waarin we terecht gekomen waren onze spanning enigszins te verlichten. Het was een persoon die je niet in de kou liet staan, maar het juiste gevoel had voor empathie. Hij was beminnelijk. Hij wist onze ogen weer glans te geven ondanks het feit dat we nogal gedeprimeerd waren. Zelfs onze auto wist hij een compliment te geven: 'la Rover è famosa, non è una macchina cattiva!' (Rover is toch beroemd, dat is toch geen slechte auto!) Ik trok mijn schouders maar wat omhoog zonder te antwoorden. Daar was de Italiaan weer die je zo 'n goed gevoel wist te geven. Gigi had ons hart gestolen. Hij was van een zeldzame aardigheid die bijna uitgestorven is.

We kwamen bij de garage aan. De auto stond klaar. Het duurde nog een hele tijd voor we aan de beurt waren. Iedereen was aan het rennen. Ze konden de zaak duidelijk niet aan. Dan zijn we aan de beurt, eindelijk.

'Signore, we hebben de bobine vervangen, die was kapot.' Dat kost 350 euro.

We betaalden, namen afscheid van Gigi, die zo keurig was om net zo lang te wachten totdat hij zeker wist dat alles in orde was alvorens te vertrekken. Opgelucht stapten we in.

We reden amper vijf kilometer en daar begon het gestotter weer. Hortend en stotend zijn we teruggekeerd naar de garage en leverden hem weer in.

De monteur stapte meteen in om het te controleren en

kwam na vijf minuten terug om te melden dat er niets aan de hand was. We geloofden het niet meer en maakten hem duidelijk dat we geen vertrouwen meer hadden in de auto en dat driemaal op transport genoeg was. We besloten niet met deze wagen naar Nederland te gaan. We belden de verzekering. Weer contact via Rome: de middagpauze is ingegaan, belt u terug om vier uur. Dat betekende een middag wachten. Bloednerveus werden we van de hele toestand.

Om vier uur vroegen we aan de garagist of hij wilde bellen om de toestand uit te leggen. Hij moest namelijk uitleggen dat we niet zomaar de trein zouden nemen. Het moest aannemelijk zijn dat de wagen niet reparabel was binnen drie dagen. Gemakkelijk was het niet voor hem de lieden aan de andere kant van de lijn ervan te overtuigen dat wij niet meer met de wagen op pad durfden te gaan.

De Romeinen zouden zo spoedig mogelijk uitsluitsel geven: 'binnen vijftien minuten bellen we u terug!' Dat gebeurde niet.

Nogmaals bellen. De garagist begon ondertussen ook een sik van ons te krijgen, maar wij moesten weten of we met de trein naar Nederland terug konden zonder dat we zelf de kosten moesten betalen.

Het vervelende was dat bij ieder telefoontje men een ander persoon aan de lijn kreeg die vervolgens van niets wist. Dan begon het verhaal van voren af aan.

We werden steeds nerveuzer, want ondertussen was het bijna sluitingstijd voor de garage. Eindelijk kregen we uitsluitsel. De zenuwen waren ons al volledig de baas geworden. Nu moest er nog een taxi besteld worden. Ondertussen was iedere werknemer van de garage al naar huis gegaan. Daar stonden we dan, 's avonds om zeven uur, ver van de bewoonde wereld, op een industrieterrein. Een werknemer had kennelijk medelijden met ons en bood aan ons naar Sciave te brengen. Dat aanbod was ons iets te genereus. Er was immers een taxi besteld! Maar die kwam maar niet opdagen.

Nogmaals gebeld naar het taxibedrijf. 'Waar blijft de taxi die we hebben besteld?'

De nette werknemer van de garage bleef al die tijd bij ons.

'Als u in Italië een taxi bestelt dan kunt u er niet altijd zeker van zijn dat hij komt', zei hij. En als hij komt dan kan dat ook wel een half uur later zijn.' We werden steeds meer ontmoedigd.

Half acht: daar kwam een oude Mercedes aan. Het was de taxi. We slaakten een zucht van verlichting. De correcte Italiaan van het bedrijf wenste ons een goede reis. Hij zwaaide ons nog na.

'U moet naar Sciave?'

'Ja!'

'Ik ben niet gewend om honden te vervoeren in mijn taxi signori! Maar ik heb wel een dekentje, waar hij op kan liggen.' We schrokken al.

'Fijn, dat de hond ook mee mag, want die hadden we toch echt niet kunnen achterlaten hier.' Ondertussen hadden we al twee taxiritten van zestig kilometer op ons conto staan.

Vier transporten voor de auto en het grootste transport voor auto en caravan kwam er nog aan: van Merano naar Nederland. We wisten nog steeds niet wat we vergoed zouden krijgen. Vanuit die onzekerheid zijn we 's avonds laat nog naar de bank gegaan om er zoveel mogelijk geld van af te halen. Helaas: de bank was gesloten. Nog één kans hadden we: de volgende ochtend.

Een van de Hells Angels was bereid ons te brengen naar de bank om acht uur. Om negen uur moesten we met de trein mee vanuit Vipiteno. Zenuwslopend was het.

Ondertussen zou de baas van de garage proberen een taxi te bestellen. Het lukte hem om Gigi nogmaals te charteren.

Acht uur stapten we in de Saab van een werknemer. Het was enkele kilometers rijden naar de bank. Voluit accelererend reden we door de bergen. Gelukkig wilde de pinautomaat ons voldoende geld geven om alle eventuele onkosten te betalen.

De schade was al zeer hoog opgelopen.

Half negen waren we weer terug bij de sloperij. Ondertussen wist de baas ons te vertellen dat de verzekering alle kosten zou dekken en dat we hem dus geen geld verschuldigd waren. We hadden nog een half uur om van Sciave naar Vipiteno te komen. Gigi was er echter nog niet. De spanning liep hoog op. We moesten er niet aan denken nog één dag op onze 'camping' te verblijven. Kwart voor negen: we hadden nog een kwartier. Daar kwam Gigi aan.

'Gigi, we hebben nog één kwartier om in Vipiteno te komen. Stel je voor dat er een rij mensen voor het loket staat, dan missen we de trein!' We waren volledig over onze toeren.

'Laat dat maar aan mij over', zei Gigi. Hij zweepte zijn BMW op tot flinke daden en met tien minuten stonden we op het station. Binnen een minuut kwam Gigi er aan met drie kaartjes in zijn hand: twee voor ons en één voor de hond.

We hadden zelfs nog vijf minuten over en stonden glunderend van geluk op de trein te wachten. Mijn vrouw barstte spontaan in huilen uit. Als geboren verleider wist Gigi haar te kalmeren en met een dikke fooi in zijn hand zwaaide hij ons uit.

Toen we plaats namen in een coupe kregen we voor het eerst in dagen het gevoel, dat we de zaak weer in de hand hadden.

Rust hadden we en langzaam kwam onze ademhaling weer op peil.

Tegenover ons kwam een viertal jongemannen te zitten. We volgden het gesprek dat ze voerden. Het ging over het plukken van paddestoelen: 'cogliere funghi.'

We vonden het interessant. Jongelui die paddestoelen gaan plukken in de bergen.

Hoe is het mogelijk. Sommige jongelui zitten de hele dag achter een computer. Anderen vernielen treincoupes. Weer anderen studeren netjes. Maar paddestoelen plukken?

'Waar plukken jullie die paddestoelen?', vroeg ik. Een beetje brutaal bemoeide ik me met hun gesprek, maar ze konden dat wel waarderen.

'In de bergen, in de Dolomieten', zeiden ze.

'En weten jullie dan ook precies waar je ze kunt vinden?'

'Ja, dat weten we precies, dat zien we aan de begroeiing.'

'Welke paddestoelen zoeken jullie dan wel?'

'Alles wat eetbaar is!'

'Kennen jullie ze allemaal?'

'Ja, allemaal, we hebben ons nog nooit vergist.'

Ik vertelde hun dat ik als kind altijd cantharellen ging plukken met mijn ouders. Cantharellen herkende ik ook uit duizenden. Ik maakte daar ook nooit een vergissing mee.

'Meestal nemen we een hond mee die een scherpe neus heeft voor truffels,' zei een Italiaan.

'Wat leuk', zei ik. 'En wat doet hij als hij ze vindt?'

'Dan gaat hij met zijn neus boven de plek staan en laat zijn staartje zwaaien'.

'En dan zijn ze er ook?'

'Altijd!'

Na zestien uur reizen kwamen we in Arnhem aan. Enkele dagen later stond de caravan weer voor de deur. De auto had men afgeleverd bij de garage. Dat was transport nummer vijf. We hebben hem daar nooit meer opgehaald. De Engelsen hadden ons er van overtuigd prachtige auto's te kunnen maken, maar over de kwaliteit waren we minder overtuigd.

16

Guasto al motore (II)

We waren gaan twijfelen aan de hulpvaardigheid van de Italiaan na onze eerste pech.

Beloofde telefoontjes niet nakomen. Niet bereid zijn je best te doen voor een gestrande buitenlander, wetende dat ze hierdoor in de grootse problemen komen. Te gemakkelijk zijn om een klein probleem op te lossen, zodat er onkostenposten ontstaan die in de duizenden euro's lopen.

De grootste veroorzaker van al het leed was de deur al uit gegaan zodat we hoopten ons risico behoorlijk verkleind te hebben. Dus hadden we een bijna nieuwe auto aangeschaft met een daarbij passende caravan, ook bijna nieuw.

Aangezien we verknocht waren aan Bolsena konden we het niet nalaten die plek weer op te zoeken, ondanks de traumatische ervaringen van het voorgaande jaar.

Bij iedere oneffenheid in de weg schrokken we en dachten: niet weer zo'n drama.

Onze Leganza bracht ons gelukkig feilloos op de plek van bestemming.

De terugweg ging aanvankelijk bijzonder vlot. In no time waren we in Firenze en begonnen aan de forse klim door de Apenijnen.

Het was vreselijk druk met vrachtverkeer. Het was een aaneenschakeling van zware transportwagens. Voortdurend dienden zich tunnels aan. We scheerden de vrachtwagens voorbij en dachten regelmatig: 'je zult maar komen te staan in zo'n tunnel, terwijl je links rijdt en niet naar rechts kunt vanwege de onafgebroken stroom verkeer.' De zon knetterde op het asfalt. De zinderende hitte veroorzaakte warmtegolfjes boven het wegdek. Een moment dacht ik, dat ik mijn auto wel heel erg veel geweld aandeed. Ik geselde hem door iets te vragen van hem dat onredelijk was: met veertig graden hitte verlangen dat je een vracht van zesentwintighonderd kilo netjes naar boven brengt zonder te klagen. Af en toe dichtte ik mijn auto menselijke eigenschappen toe. Dat betekende dat ik niet alleen maar gesteld was op mijn auto, maar er oprecht van kon houden.

Door te zeggen: 'ik ben eraan gehecht', zou ik mijn automobiel tekort doen. Gemakshalve heb ik het maar over een 'hem' als ik over de auto praat. In Italië is dat probleem helemaal duidelijk. Daar is een auto iets vrouwelijks. Daar spreekt men over 'La Fiat', 'la Ferrari', ondanks de mannelijke prestaties van de laatste. In Italië krijgen vele wagens ook vrouwelijke, wulpse rondingen mee. Wat vormgeving betreft spreken ze absoluut tot de verbeelding. Italianen zijn de meesters van het design. Ook in Engeland kan een auto 'a she' genoemd worden. Daarmee krijgt hij een beetje persoonlijke trekjes.

We arriveerden op de top van de Apenijnen bij Roncobilaccio. Bijna was ik van plan mijn rijtuig een schouderklopje te geven voor de bovenmenselijke prestatie.

Plotseling viel het geluid weg. Ik gaf gas, maar hij deed niets meer. Gelukkig kon ik naar de parkeerplaats achter het benzinestation uitwijken.

'Nee, toch niet voor de tweede keer zo'n drama?'zeiden we tegelijkertijd tegen elkaar.

'Misschien moeten we hem eventjes rust gunnen? Heeft hij het te heet gekregen?'

Afkoelen dan maar, met de motorkap omhoog. Na een kwartier dan nog maar eens proberen. Hij gaf geen krimp. Helemaal niets.

Daar stonden we dan weer. Nog even hoop je dat het dit keer met een sisser zal aflopen en dat de auto weer aan de praat te krijgen is.

Ik liep naar binnen bij het benzinestation, waar achter de balie mensen stonden om de klanten te helpen.

'Scusi, kan iemand mij helpen? Ik sta met pech op de parkeerplaats!'

'U staat met pech op de parkeerplaats?'

'Ja, misschien kunt u het dichtstbijzijnde sleepbedrijf bellen om mijn auto naar een garage te vervoeren?'

'Er zit er eentje hier vlak boven in de bergen,' zei de chef van het bedrijf. 'Ik zal voor u bellen.'

Het duurde niet lang of er kwam een sleepwagen aan.

De deur van de cabine ging open en er kwam een man uit met het postuur van een gewichtheffer. Hij gaf me een hand.

'U heeft pech?'

'Ja, ik krijg de auto niet meer aan de gang, kunt u er iets aan doen?'

'Nee signore, ik repareer niet langs de snelweg. Ik breng uw auto met de caravan naar mijn garage en dan zal ik hem daar repareren. Mijn garage is slechts één kilometer hier vandaan in Roncobilaccio. Rijdt u de wagen maar op de sleper.'

Dat deed ik, terwijl hij aanwijzingen gaf hoe ik sturen moest.

Vervolgens kwam ik er weer uit, want de caravan moest ook nog vervoerd worden. Deze kon niet bij de auto op de sleepwagen maar moest aan de trekhaak ervan.

'Laat dat maar aan mij over', zei ik tegen de man.

Ik legde de kop van de dissel op de knop van de trekhaak en probeerde de hendel over te halen van de stabilisator.

'Hij wil niet naar beneden!', zei ik. Meteen nam de transporteur de hendel van me over en duwde hem met enorme kracht naar beneden.

'Krak!'

'En nou is hij kapot signore. U mag hem niet doordrukken als hij niet goed op de kogel ligt!' Ik had zelf niet eens de kans gekregen om de stabilisator goed op de kogel te leggen.

'Maar signore, dat is toch ook geen kwaliteit! Dat ding is van plastic!'

'Ja, maar als hij niet wil dan mag u hem niet doordrukken!'
Hij haalde zijn schouders op. We reden weg met zijn allen in de
cabine van de sleepwagen.

'Waar rijdt u ons heen?'

'Naar mijn garage!'

'Oh!'

We kwamen aan bij de garage en alles werd in de zon geparkeerd voor het garagebedrijf.

'Gaat u direct aan de gang met onze auto?'

'Nee, het is nu pauze, middagrust. Komt u over drie uur
maar terug. Ik breng uw auto naar een meetstation. Daar kunnen ze precies meten waar het probleem zit. Om vijf uur kan ik
u vertellen wat er aan de hand is met uw auto!'

'En waar blijven wij al die tijd?'

'Daar beneden is een restaurant, daar kunt u eten en drinken.'

Door de moordende hitte liepen we naar het restaurant dat
enkele kilometers lager lag.

We waren in de veronderstelling, dat we weer verder zouden
kunnen rijden als de diagnose gesteld was, gevolgd door een
reparatie.

Bij het restaurant bestelden we een koel drankje en genoten
daar ook nog van omdat we nog niet vermoedden wat voor een
nachtmerrie we nog moesten doorstaan.

Naast ons aan een tafeltje kwam een Italiaanse heer zitten,
die een dame bij zich had waar iets mee aan de hand was.

Het was ons niet helemaal duidelijk aan welke kwaal zij leed,
maar er was iets mee. Zij zag er gewoon uit, maar haar gedrag
klopte niet helemaal. Het werd ons duidelijk dat ze een geestelijke beperking had en dat de heer zich schaamde voor haar.

Steeds probeerde zij in gesprek te komen met ons, maar haar
vermoedelijke echtgenoot probeerde dat te verhinderen.

'Houd je mond!', zei hij tegen haar. 'Die mensen willen met
rust gelaten worden.'

'Niente problema signore, het stoort ons niet!' De vrouw voelde onmiddellijk aan dat ze kon ontsnappen aan het strenge regime van haar compagnon.

Hoewel de vrouw ons aansprak in kinderlijke taal, vonden wij het op dat moment wel grappig. Ze haalde wat spanning af van de toestand waarin we terecht gekomen waren.

Waarschijnlijk was ze het niet meer gewend dat men op normale wijze met haar converseerde, want binnen een half uur had ze al enige affectieve gevoelens voor ons gekregen. Toen we opstonden om de auto te gaan opzoeken wilde ze ons perse een kus geven.

'Dat kan niet zei de heer, dat zijn vreemde mensen! Die kun je niet zo maar een kus geven!'

'Dat mag gerust hoor', zeiden we en we gaven haar drie kussen op haar wangen.

Haar dag kon in ieder geval niet meer stuk. Ze kraaide van plezier.

Het was niet de eerste keer dat mensen met een geestelijke beperking zich tot ons aan getrokken voelden. Het waarom is ons niet helemaal duidelijk. Misschien dat ze aan onze neus kunnen aflezen: dat het ons een zekere voldoening geeft, hun manier van doen.

Is het de vernislaag die ze missen? De dunne vernislaag van de beschaving. Het dunne laagje dat zoveel mensen de schijn van netheid bezorgt. De minder bedeelde is wat dat betreft eerlijk. Want hij is wat hij is, niet meer en niet minder. De gemene streken die er in zoveel mensen zitten, hebben zij niet. De kinderlijke eenvoud waarmee ze mensen benaderen, dat heeft wat. Langzaam slenterden we de berg weer op, in de hoop dat onze auto gerepareerd kon worden. De hitte maakte ons traag.

We kwamen aan bij de garage. De zoon van de garagehouder was al bezig met andere gestrande auto's. 'Mijn vader komt zo', zei hij.

Even later kwam zijn vader er aan.

'En', zeiden we, 'hoe staat het met onze auto?'

'Un sensore è brucciato', zei hij. (Een sensor is verbrand) 'Een sensor die de nokkenas aanstuurt.'

'Is dat een ernstig probleem signore?'

'Nee, maar ik heb zo'n sensor niet in huis, die moet uit Firenze komen, want de zaak in Bologna is gesloten.'

'Wanneer wordt de sensor gebracht?'

'Morgenmiddag.'

'En hoe lang duurt het voordat u hem gemonteerd heeft?'

'Een uur', zei hij.

'Dus morgen op het einde van de dag zou de auto weer klaar kunnen zijn?'

'Ja, belt u me morgen maar.'

'Hoe komen we op een camping?'

'Mauro, breng jij die mensen even naar camping 'Relax!'

Zijn zoon bracht ons naar de camping. De caravan werd achter een vrachtwagentje gehangen.

We kwamen aan op camping 'Relax'. We werden ontvangen door Pier, een man van een jaar of vijfenvijftig.

'Gaan jullie daar maar staan', zei hij, 'op het middenveld.'

Op dat moment stond daar nog niemand.

Rond om ons heen stonden slechts vakantiehuisjes. Uit alle ramen staken grijze kopjes. We werden duidelijk beloerd. Zo'n spektakel maak je niet vaak mee: een caravan die gebracht wordt door een sleepwagen. Dat was een hele belevenis voor de oudjes. Het was beslist een hele mooie plek, maar we hadden er niet om gevraagd.

't Lijkt wel of we in een bejaardencentrum zijn terecht gekomen', zei ik tegen mijn vrouw. We stonden letterlijk in het centrum van de belangstelling.

's Avonds gingen we naar de kantine om te kijken of er nog wat te eten viel.

Aan een lange tafel zat Pier, de campingbaas, met zijn vrouw en hun zoontje. Verder bestond het hele gezelschap uit intimi van de camping. Het waren allemaal mensen die elkaar al lang kenden.

De manier waarop ze met elkaar om gingen maakte ons dat duidelijk.

Zo te zien had Pier zijn vrouw ergens uit Azië weg gehaald.

Ze was ongeveer vijfentwintig jaar en hun zoontje een jaar of vijf.

Aangezien we Pier bij aankomst verteld hadden in welke moeilijkheden we terecht gekomen waren betrok hij ons in de gezelligheid.

'Jullie mogen met de familie mee-eten', zei hij. 'Kom er maar bijzitten!'

Het was een vrolijke boel. We bestelden dezelfde maaltijd als de familie.

Spaghetti was de basis, verder kregen we groente en vlees.

Eén dame voerde constant het hoogste woord en vormde het middelpunt van het gezelschap.

Over en weer maakte men grappen en grollen en zij wist voortdurend alles goed terug te kaatsen.

'U eet de spaghetti niet goed!', zei ze tegen mij en rukte de vork uit mijn hand.

'Dat moet zo!' Ze draaide de spaghetti om de vork.

'Zoals u het eet beledigt u ons volk! Uit welk land komt u?'

'We komen uit Holland.'

'Uit Olanda, dan moet u toch wel weten hoe je spaghetti eet!'

Het hele gezelschap barstte in lachen uit.

De dame was er ook duidelijk op uit om me belachelijk te maken en het gezelschap aan het lachen te krijgen.

'Het zal wel een boer van het platteland zijn die onze gewoontes niet kent', zei ze en weer barstte het hele gezelschap in lachen uit.

Opnieuw greep ze mijn pols en liet nogmaals zien hoe het hoorde.

'Zo moet dat, heb je het nu gezien? Doe het na!'

Weer draaide ik de spaghetti om mijn vork, maar het viel er net zo gemakkelijk weer af.

'Sufferd, dat je bent!'

'Het spijt me mevrouw maar ik ben er niet zo handig in. Ik snijd de spaghetti liever in stukjes. Is dat goed?'

'Je bent een schande voor je land', zei ze.

'Ik verdedig onze vlag juist door het op onze manier te doen', zei ik.

Tijdens het eten moesten we alle bijzondere wijnen en likeurtjes uit de streek proberen.

Pier kwam naast ons zitten en vroeg me waar ik Italiaans geleerd had. Ik maakte hem duidelijk dat je die taal niet alleen leert op vakantie, maar dat je de nodige studie moet verrichten om de grammatica onder de knie te krijgen.

'Wil je nog een glaasje wijn?', vroeg Pier, in onberispelijk Nederlands, zonder dat ik enig accent kon bespeuren.

'Is dat het enige wat je kunt zeggen in het Nederlands Pier?'

'Nee hoor, ik kan nog veel meer', zei hij.

'Waar heb jij dat geleerd?'

'In Amsterdam, daar heb ik in de haven gewerkt, jarenlang.'

'Ik hoor het', zei ik.

'Ik ben de hele wereld over gereisd en ik heb overal gewerkt', zei Pier.

'Frans spreek ik, Engels, Duits, Nederlands, Zweeds en Chinees.

'Waarom heb je al die talen geleerd Pier?'

'Ik ben heel lang vrijgezel geweest, ben de hele wereld afgereisd om een geschikte vrouw te vinden, maar dat lukte niet zo goed. Zodra ik een vrouw zag die ik leuk vond dan ging ik heel vlug de taal bestuderen. Zodoende spreek ik al die talen'.

'En waar ben je deze vrouw tegen gekomen?'

'In Taiwan,' zei Pier, 'ik heb er wel een hoop geld voor op tafel moeten leggen om haar mee te krijgen. Maar goed, vrouwen kosten nou eenmaal geld.'

Het was me al heel snel duidelijk dat Pier weinig woorden nodig had om iemand te begrijpen. Hij was een talenwonder, maar ook een 'acchiappadonne'. (vrouwenverslinder)

'Spaans spreek ik ook nog', zei hij. 'Vrouwen uit Zuid-Amerika zijn erg scxy.' Daar heb ik er heel wat van gehad, voor één nacht.

'Ik geloof je onmiddellijk', zei ik.

'Zal ik je eens wat laten zien?', zei Pier.

Hij haalde een boek tevoorschijn waarin allemaal bergkristallen stonden.

Dit boek is geschreven door een Italiaanse professor zei Pier. Hij is een grootheid op dat gebied.

'Maar ik ben ook een kenner op dit gebied. Wist je dat? Kijk hier staan een aantal bergkristallen, die ik heb gevonden.'

Pier wees er een aantal aan, hele bijzondere in hun soort.

'Kijk, mijn naam staat er onder!'

'Ik zal je wel vertellen, dat als ik de bergen in ga, ik er gewoon een neus voor heb waar ze zijn. Nog nooit heb ik het mis gehad.

'Prachtig', zeiden we.

'Omdat ik jullie zulke aardige mensen vind krijgen jullie een hele mooie steen mee naar huis. Maar pak het wel heel goed in hoor, want hij mag absoluut niet stuk gaan.'

We pakten het mineraal heel zorgvuldig in. Het leek op een aantal aan elkaar gegroeide ijspegels die de lucht instaken.

'Zeg Pier, zou jij morgenmiddag willen bellen naar de garage om te vragen of de sensor is aan gekomen?'

'Natuurlijk, dat doe ik voor je!'

De volgende dag belde Pier.

'Hallo…, de sensor is aangekomen, maar de auto is niet klaar. Vrijdag is hij klaar.'

'Nou ja', zei ik, 'als die er dan vrijdag maar is, dan hebben we hier drie dagen door gebracht en dan vinden we het wel welletjes. Wil je tegen de garagehouder zeggen dat de auto geen dag later klaar mag zijn omdat we maandag uiterlijk terug moeten zijn in verband met de verhuizing van mijn schoonvader naar een verpleeghuis?'

Vrijdag zou de auto om één uur 's middags gebracht worden.

Er kwam geen auto. We werden bloednerveus.

Weer belden we naar de garagehouder om te vragen waar de auto bleef.

'Waar blijft onze auto?', vroeg ik hem. 'Hij zou om één uur gebracht worden en we moeten morgen uiterlijk weg!'

'De sensor is nog in Firenze, de vertegenwoordiger die hem zou brengen heeft zich ziek gemeld', zei de garagehouder.

We werden moedeloos en voelden ons aan het lijntje gehouden.

'Dan wil ik dat u dadelijk onze auto terug brengt, want wij kunnen niet tot maandag wachten en we hebben er ook weinig behoefte aan om hier langer dan drie dagen te blijven! We kunnen geen kant uit zonder auto en we zitten hier maar op een harde houten bank onze tijd te verdoen.'

Het werd tijd om de verzekering te bellen. Het hele drama van het jaar er voor ging zich herhalen.

Ik belde de verzekering, kreeg een juffrouw aan de lijn: 'Heeft u een ogenblik?'

'Dat duurde een half uur.

'Ja, bent u daar nog?' De juffrouw was eindelijk terug.

'U spreekt met…'

'Wat is het probleem?'

'We staan met een auto die het niet doet en een caravan met een kapotte stabilisator…'

'Is die auto niet te repareren?'

'In principe wel mevrouw. De nokkenassensor is stuk en we wachten al drie dagen op dat ding, maar dat wordt maar niet gebracht.'

Ik legde de hele situatie uit.

'Waarom heeft u ons niet meteen gebeld?'

Ik legde de juffrouw uit dat ik goed Italiaans sprak en dat ze blij moest zijn dat zij niet al het werk had hoeven doen dat ik had gedaan.

'Maar meneer, de verzekering vergoedt niet indien u zelf alles regelt!'

'Mevrouw, alles zou geregeld zijn indien de Italianen zich aan hun woord hadden gehouden, maar dat doen ze niet. Denkt u nou, dat ze de sensor gebracht hadden als u daartoe opdracht had gegeven? Nogmaals u mag blij zijn dat ik alles geregeld heb.'

'Nou vooruit dan maar!'

'U wilt vervangend vervoer?'

'Ja, een auto met trekhaak, want we moeten ook nog een caravan vervoeren.'

'Heeft u een creditcard?'

'Nee, die hebben we niet.'

'In principe krijgt u alleen maar een vervangende auto mee indien u een creditcard heeft'.

'Nou, ik dacht dat ik daar voor verzekerd was.'

'Ja, maar u moet beslist een creditcard hebben. En auto's met een trekhaak hebben we niet!'

'Leuk is dat!'

'Dan zijn we gedwongen om de trein te nemen, anders komen we te laat in Nederland aan.'

'Dus u gaat met de trein?'

'Ja'.

'Dan bel ik u dadelijk terug om u te vertellen welke trein u nemen kunt!'

'Dat is goed juffrouw'.

Na uren wachten:

'Ja, hallo, spreek ik met meneer…?'

'Ja, daar spreekt u mee!'

'U kunt morgenochtend de trein nemen van acht uur vanuit Bologna.'

We vertelden ons verhaal in de kantine en onmiddellijk was er een charmante Italiaan die aanbood ons naar Bologna te brengen. Giorgio heette hij. We vonden het een genereus aanbod want het was per slot van rekening zestig kilometer van Roncobilaccio naar Bologna.

De volgende ochtend om zes uur stond Giorgio klaar om ons naar Bologna te brengen.

We stapten in. Een keurig kleedje werd op de achterbank gelegd voor de hond, want Giorgio was in alle opzichten zeer correct en vooral erg netjes. Ook wat zijn uiterlijk betrof was hij tot in de puntjes verzorgd.

Onderweg vertelde hij wat voor werk hij deed en dat zijn vrouw een kledingzaak had in Bologna.

'Ik voel me wel verlegen met zoveel generositeit', zei ik tegen Giorgio. Het is nogal wat: zestig kilometer heen en ook weer terug.'

'Och, ik ga toch geregeld terug om het een en ander te regelen thuis.' Hij maakte er geen punt van.

'Wat kan ik je er voor geven?', was mijn vraag.

'Helemaal niets', zei hij. 'Ik hoop dat als ik eens met pech sta, dat er ook iemand is die me helpt', zei Giorgio.

'Mag ik je dan aanbieden, dat je veertien dagen bij ons door kunt brengen in Holland?'

'Dat is heel aardig van jullie, maar het is niet nodig.'

Ik vertelde Giorgio dat ik de dag ervoor een oude dame had gesproken op de camping.

Haar had ik de vraag gesteld of ze zich de aanslag nog kon herinneren op het station te Bologna. De aanslag van de Rode Brigades. Een aanslag waarbij zestig doden gevallen waren.

'Zij begon spontaan te huilen Giorgio', zei ik en het was al meer dan twintig jaar geleden.

'Ja, dat ligt nog steeds gevoelig', zei Giorgio. 'Er zijn zoveel doden gevallen toen, dat er bijna geen persoon is in Bologna die er niet op de een of andere manier bij betrokken was. Bologna is nogal een 'rode' stad en we waren in die tijd erg bang voor de Brigatisten. Ze draaiden hun hand niet om voor een moord of een aanslag. Ze vonden het gerechtvaardigd vele mensenlevens op te eisen voor het goede doel: het antikapitalisme. Daar moest alles voor wijken'.

'Kom', zei hij, 'dan zal ik jullie laten zien waar ik woon:

midden in de stad. Onder ons is een café. Ik trakteer jullie op een espresso.'

Vervolgens bracht Giorgio ons naar het station en kocht kaartjes voor ons.

'Er is een probleem', zei Giorgio: in de trein van acht uur mogen geen honden vervoerd worden, maar in de trein van acht uur vanavond wel.'

'Ook dat nog, dan moeten we ons dus twaalf uur lang zien te vermaken in Bologna!'

'Bologna is een prachtige stad', zei Giorgio, daar kun je je wel een tijdje vermaken.'

Er zat niets anders op voor ons dus namen we afscheid. Met een dikke kus verliet Giorgio ons. Hij had het matige mensbeeld dat we de laatste dagen hadden gekregen weer behoorlijk opgevijzeld.

Erg gerust wandelden we niet door Bologna. De avond te voren hadden we onze bankrekening behoorlijk moeten plunderen.

Ten eerste moesten we het transport van de auto betalen: achthonderd euro. Die hadden we dus gelukkig niet meer op zak. Vervolgens moesten we treinkaartjes kopen. Aangezien we niet wisten hoeveel ze zouden kosten hadden we heel veel geld bij ons. Gelukkig viel de prijs voor de treinreis mee. Maar we liepen wel met die dure kaartjes op zak, paspoorten, pinpassen en nog een behoorlijke som geld. Dat vonden we niet prettig, want we voelden ons zeer onveilig in Bologna.

Het centrum was vergeven van de junks, maar ook van zwervers en zigeuners.

De zigeuners waren handtastelijk. Ik ga er vanuit dat iemand die mij niet kent, van me af blijft. Mijn lijf is privé-terrein. Als een volkomen vreemde het waagt aan me te komen dan gaan bij mij alle alarmbellen rinkelen. Onmiddellijk geef ik dan een keiharde schreeuw, als ze me aanraken. Dat helpt altijd. Ze zoeken dan een ander slachtoffer. Een aanraking staat meestal garant voor een lege portemonnee. Omdat in onze portemonnee alles zat wat we nodig hadden: de pinpas, kaartjes, geld moesten we ons niet voorstellen dat die zaken gestolen zouden worden. Dan zouden we pas echt in de problemen zitten. Dus liepen we door Bologna met ogen voor en achter in ons hoofd en mijn handen stevig om mijn portemonnee geklemd. Toen we de markt bezochten raakten we behoorlijk in paniek toen we omgeven werden door ik weet niet hoeveel junks. Zo snel als we konden vluchtten we naar een veiliger plek.

Bloedheet was het. Onze hond verbrandde haar pootjes bijna aan het asfalt. De voetzolen en de tong zijn de enige transpiratiemogelijkheden voor een hond, dus zij had het heel zwaar.

We probeerden de tijd door te brengen op terrassen met verkoelende drankjes. Maar van de prijzen werden we niet vrolijk. Zeker niet als het zo heet is dat een terras nog de enige plek 'to be' is.

Maar goed, we hadden genoten van de schoonheid van Bologna. We zagen dat er torens waren, die minstens zo scheef zijn als de toren van Pisa en we hadden het overleefd.

Eindelijk mochten we dan in de trein stappen.

We namen plaats. Aanvankelijk was er plaats genoeg, maar bij iedere stop kwamen er mensen bij.

Toen de controleur kwam zei hij: 'U kunt hier niet blijven zitten want deze coupé is voor het treinpersoneel. We vonden dat nogal vreemd en besloten te blijven zitten.

Op een gegeven moment stopte de trein weer in het noorden van Italië en toen kwamen er mensen onze coupé binnen die zeiden dat ze een plaats besproken hadden en dat wij er uit moesten.

Wij werden nogal opstandig omdat we toch gewoon een kaartje hadden gekocht. Van plaatsbespreking hadden we nog nooit gehoord. Ook de andere mensen bleven zitten.

Toen was er een meneer die zijn bespreking liet zien en tegen ons aan begon te duwen en bijna bij ons op schoot kwam zitten.

Ondertussen was de trein zo vol dat er geen zitplaats meer over was. Zelfs het gangpad lag vol met mensen die een plaats besproken hadden. Enkelen moesten zelfs reizen van Rome naar Nederland. Een Italiaan naast ons kwam helemaal van Sicilië en zei: 'Gewoon blijven zitten'. Dat deden we dan ook.

Naast ons stond een Italiaanse jongeman die erg grappig was en de hele coupé wist te vermaken. Hij kwam uit Parma. De driftige heer die meende recht te hebben op een plaats begon tegen ons aan te duwen. Hij wilde meer ruimte om zich heen. De vermakelijke Italiaan stond op en ging vlak voor het driftige mannetje staan.

'Wat gaat u doen? Met welk recht durft u een ander opzij te duwen?'

'Dit is mijn plaats!'

'O ja en waar staat op uw kaartje dat het uw plaats is? Weet je dat ik me als Italiaan schaam voor het gedrag dat u vertoont? En nou opgedonderd!'

De driftkoker besloot maar te gaan. Met moeite vond hij tussen alle benen in nog een sta-plaats in het gangpad.

Toen kwam de conducteur binnen om de kaartjes te controleren. Aangezien er heel veel mensen waren die geen plaatsbespreking hadden en hij ook niet van plan was ruzie te zoeken met al diegenen die geen plaats besproken hadden door ze weg te sturen van hun plaats, besloot de conducteur dat iedereen die niet besproken had bij te laten betalen.

'Acht euro toeslag', zei hij tegen de grappenmakende Italiaan naast ons.

De toon waarop hij dat zei deed behoorlijk aan het oorlogsverleden van de Duitsers denken (het was een Duitse conducteur) waarop de Italiaan in de houding sprong, de hakken tegen elkaar sloeg en één hand naar zijn slapen bracht en zei: 'Jawohl!'

De hele coupé schoot in de lach, maar het deerde de conducteur niet. Hij was nogal een vlotte jongen met vlotte oplossingen.

Vervolgens was er een meneer die weigerde bij het tonen van zijn kaartje toeslag te betalen.

'Zijn argument was: 'conducteur, ik hoef toch geen driehonderd euro te betalen om zestien uur in de trein te moeten staan! Voor die prijs mag ik toch zeker wel zitten?'

'U heeft een kaartje gekocht voor de reis, niet voor een zitplaats', was het antwoord van de conducteur.

'Ik betaal niet', zei de man.

De conducteur opende het raam en liet de kaartjes wapperen in de wind.

'Betalen of niet', zei hij.

De principiële heer besloot toch maar bij te betalen.

Wederom hadden we het grootste plezier.

Toen kwam de conducteur bij ons.

'Kaartjes 'bitte'.

We lieten hem drie kaartjes zien en hij vroeg voor wie die kaartjes waren.

Ik wees naar mijn vrouw en naar mijzelf.

'En waar is nummer drie?', vroeg hij.

'Onder de bank', zei ik.

'Hij keek me wat vreemd aan en zei: 'Onder de bank?'

Hij bukte zich en zag daar onze hond liggen.

'Shöner Hund', zei hij.

Vlak naast ons zat een Albanees.

'Pasport bitte', zei de conducteur en vervolgens onderzocht hij het paspoort op valsheid. Ook de paspoorten van Vietnamezen die al lang in de Verenigde staten woonden werden grondig nagekeken. Het leverde wel de nodige spanning op.

De Siciliaan die al vijfentwintig jaar in Duitsland werkte kreeg zijn papieren onmiddellijk terug.

De Italiaan uit Parma had ondertussen al uren gestaan en viel van vermoeidheid bijna om. Als er twee Amerikaanse meisjes de coupé in komen om vervolgens te zien dat er geen plaats is zegt de jongen uit Parma: 'Ladies welcome into this nightmare.'

Alweer weet hij de hele coupé aan het lachen te krijgen.

'Waar moet je naar toe?', vroeg ik hem.

'Naar Leipzig', zei hij. 'Daar heb ik vrienden.'

'Wil jij misschien even zitten, dan ga ik wel een poosje staan'.

Enkele keren weigerde hij, maar nadat hij bijna omviel van vermoeidheid bood ik het hem nogmaals aan. Hij accepteerde het en viel meteen in slaap.

Na een half uur stond hij op en gaf zijn plaats weer terug aan mij. Ook wij moesten immers zestien uur reizen.

Toen we in Duisburg aankwamen moeten we wegens problemen met de trein overstappen in een ICE trein. Het laatste stukje werd nog echt gerieflijk. Ook hier moesten we toeslag betalen. Vervolgens kwamen we aan op het station in Arnhem. Na zestien uur reizen kon onze hond zijn eerste plasje kwijt. We verwachtten een eindeloze stroom, maar het viel mee. Eindelijk thuis.

Eerst de volgende dag de verzekering maar eens bellen hoe het er voor stond.

'Ja, met… het gaat om schadegeval nummer…'

'Meneer we zullen alle kosten vergoeden, maar u moet beslist voortaan eerst de verzekering bellen! U mag dat absoluut niet allemaal zelf regelen!'

'Dat is goed mevrouw, maar wees blij dat ik al het werk voor u gedaan heb, want als u Italianen kent dan weet u dat iedere opdracht die je ze geeft, niet uit gevoerd wordt. Wij zijn er helemaal gek van geworden. Wat dat betreft heb ik u een hoop werk bespaard!'

'De campingkosten kunt u ook vergoed krijgen, maar niet meer dan voor één nacht, want normaal gesproken was u immers ook nog twee dagen onder weg geweest!'

'Dat vind ik heel redelijk.'

We kregen wel een mobiele rekening die behoorlijk in de papieren liep. Maar ik vond het niet nodig daar een vergoeding voor te vragen. Ik heb een pertinente hekel aan mensen die te makkelijk declareren bij de verzekering. Te veel zijn er die de

195

verzekering oplichten met dit soort zaken en ik had er geen zin in privé en zakelijk bellen te scheiden. Ik vind het ook niet nodig om aan de verzekering te verdienen. Die schade nam ik dus maar voor lief.

De auto stond binnen twee dagen na onze thuiskomst bij de garage. De sensor was in minder dan een uur vervangen. Al die ellende voor een reparatie van een uur. De schade moest in de duizenden euro's lopen. 'En waarvoor?' Lamlendigheid. Voor een minuscuul onderdeeltje waren we in de ellende terecht gekomen. Met een beetje geluk ben je binnen twee uur weer aan het rijden. Maar niet daar: in Italië.

In augustus heeft iedereen vakantie. Krijg op dat moment dus geen problemen.

Toen we de auto gingen op halen wilde de kofferdeksel niet sluiten. Er waren grote kieren te zien. Wat bleek? Tijdens het transport heeft men de wagen waarschijnlijk ergens tegenaan laten botsen, dachten we.

We bekeken het papier, waarop de transporteur moest aantekenen of er beschadigingen aan het vervoermiddel waren, voordat hij de wagen naar Nederland transporteerde.

De beschadiging was er dus al want er stond een vinkje op het papier. Dus moest de garagehouder uit Roncobilaccio de auto hebben laten stuiteren.

'Daar moet een nieuwe klep op', zei de monteur bij de garage in Arnhem. Repareren is duurder.'

De verzekering deed er niet moeilijk over en ging akkoord. Alsof het al niet duur genoeg geweest was.

Een week later zou er een nieuwe klep komen. Die kwam ook.

'Meneer…, de klep is aangekomen'.

'Fijn', zei ik. 'Wanneer is hij gespoten?'

'Ja…, het is wel vervelend, maar ook deze is tijdens het transport kapot gegaan!'

'Heel vervelend ja', zei ik.

'Over een week is er een nieuwe meneer…'

Twee weken na aankomst van de auto was de auto klaar, met nieuwe klep en al.

Ik dacht nog eens diep na over Italiaanse onzorgvuldigheid en daarna over Nederlandse onzorgvuldigheid. En wie moest al die onzorgvuldigheid betalen? Te gek gewoon. Ik begreep er niets meer van. Mij overmande een gevoel van een wereld die ik niet meer begreep.

De caravan had men ook netjes bij de dezelfde garage afgeleverd. Daar heeft men de stabilisator vernieuwd. Weer ging de gedachte door me heen: 'waarom moet iets stuk gemaakt worden dat gloednieuw is?' Zo onnodig allemaal.

Deze reis bezorgde ons het tweede rampjaar achter elkaar. Het vertrouwen in de mensheid waren we verloren, althans in een groot deel. Giorgio maakte natuurlijk heel veel goed.

Het vertrouwen in auto's waren we kwijt, ook niet in alle natuurlijk, want we hadden er thuis nog eentje staan die ons al meer dan tien jaar niet in de steek had gelaten.

Die hebben we weer van stal gehaald om de grote caravan te vervoeren, want ons 'eerste' vervoermiddel moest wegens omstandigheden nog eventjes in de garage verblijven!'

Ik moest er wel een moment over nadenken of ik dat piepkleine autootje wel voor zo'n grote caravan zou durven spannen. Mijn rotsvaste vertrouwen zorgde ervoor dat hij dat rotsvaste vertrouwen wilde terug betalen. In de vijfde versnelling liet hij zien, zelfs tegen de berg op, dat hij nergens bang voor was. Gelukkig had ik het geknakte vertrouwen weer een beetje terug.

De volgende jaren als we langs de plekken kwamen waar we strandden, hielden we steeds onze adem in. Vervolgens begonnen we te juichen als we er voorbij waren.

17

Bar Centrale

'Een avondje opera?,' Een dagje Rome?, Pompei?, Napoli?, of misschien een bezoek aan de beeldentuin van Niki de St Phalle?'

Allemaal zijn het dingen waarvan de Italiaan zegt: 'Va vista,' dat moet je gezien hebben. Je ontkomt er niet aan. Het zijn enkele toppers, natuurlijk zijn er meer: Firenze, Siena, Milano.

De laatste hoogtepunten zou ik onrecht aandoen, indien ik ze niet zou noemen. En dan nog doe ik Italië tekort, immers hoe kun je het in godsnaam in je hoofd halen om 'La piu bella,' de mooiste, te vergeten: 'Venezia', de meest romantische stad op aarde.

Wil je je aanstaande bruid de meest onvergetelijke dag van haar leven bezorgen? Trouw haar dan in deze kleurrijke stad.

Er worden dimensies toegevoegd aan de dag der dagen, die niet in getallen zijn uit te drukken. Je proeft de historie tot in de uiteinden van je zintuigcellen. Deze plekken moeten bezocht worden. Het is verplicht. Doe je dat niet, dan kun je niet zeggen dat je Italië hebt gezien. Met geschiedenis ben je dan bezig, dat is interessant. Echter, er is geen geschiedenis zonder mensen. Het zijn de mensen die het maken.

Wil je een land leren kennen, dan ontkom je er niet aan naar de geschiedenis te kijken, de kunstwerken, de kunstenaars, maar… vergeet niet het volk. Lukt het je, probeer dan eens een van de hunnen te worden, zo goed en zo kwaad als mogelijk is. Dat betekent dat je hun taal moet leren, hun gebaren, hun manier van leven. Het gezegde: 'Prendere la vita come viene,' spreekt boekdelen.

Het zegt veel over de aard van een volk: 'Neem het leven zoals het komt,' beetje gevaarlijk vind ik dat. Zorg dat je de richtingaanwijzers zelf plaatst, je weet immers nooit of een of andere gek de borden de verkeerde kant op laat wijzen. Zelf richting geven aan...

Maar goed, de Italiaan gaat daar wat makkelijker mee om dan wij. Wij zijn nogal 'planners' en, gaat het ook maar eventjes niet zoals gepland, dan slaat de krampachtigheid flink toe. De Italiaan is in dat opzicht buigzamer en weet van de chaos toch nog een aardig spektakel te maken.

Niets is mooier dan Italiaanse chaos, het lijkt of ze dan allemaal in hun element zijn. Niet op je beurt hoeven wachten, nergens voor nodig. We zijn allemaal aan de beurt, tegelijk: veel efficiënter niet waar?

Wel oppassen als je in een winkel staat, met Italiaanse dames. Waar wij het normaal vinden op onze beurt te wachten, op een enkeling na, lijkt het voor hen wel een nationale sport: Voorkruipen! Opletten dus. Bijdehand kun je dan zijn, door iets te brabbelen in het Nederlands en met je vinger naar je borst te wijzen, maar de dame zal net doen alsof ze je niet hoort of: 'Non capito signore,' niet begrepen meneer.

Daar sta je dan met je mond vol tanden en de vraag: 'Hoe los ik dat op.' Duidelijk is, dat je dan te laat bent en niet bijdehand genoeg.

Handig was het geweest een 'corso Italiano,' cursus Italiaans te volgen. Vast en zeker had je daar geleerd: 'Scusa signora, tocca a me.' Pardon mevrouw, het was mijn beurt. Kan niet missen, dat je respect afdwingt. 't Is ook wel begrijpelijk. De 'lokalen' komen de hele winter in hun buurtwinkeltjes, waar hun hele hebben en houwen bekend is. Alle aandacht krijgen ze van de winkelier, die dagelijks hun 'onderonsgevoel' versterkt, moeten ze ineens op een aantal 'stranieri,' vreemdelingen, wachten: van die lui in een korte broek! Ook dat nog! 'Tutto contro il Morale Lokale,' helemaal tegen de plaatselijke moraal. 'Hoe durven ze! Zelfs in de kerk proberen ze het!'

Daar komen ze ze zo niet binnen. Dat zou tegen de moraal van 'God' zijn. En die telt nog steeds in Italië.

Al deze bezoekjes leren ons veel over het land en ook over het volk: Gebouwen, manieren, een beetje taal.

Echt in conversatie komen, tussen ze in staan, je thuis voelen bij ze, meeëten, zeker als de hele familie en vriendenkring aanwezig is, dan kom je dicht bij ze. 'Sentirsi nel centro della Famiglia,' je in het centrum van de familie voelen. Dat gevoel!

Op zeker moment ben je de 'Va vistas, moeten zien,' een beetje beu, je bent verzadigd aan het raken, ondanks alle bekoring. Maar helaas, je hersenen willen rusten: 'even niet.' Een plekje aan het strand voor een keer, met een goed boek, of alleen maar luieren en aanschouwen.

Het kan toch niet zo zijn, dat al het schoons altijd ver weg moet zijn? Is het niet een kwestie van goed observeren om te ontdekken, dat prachtige dingen dikwijls dichtbij zijn? Genieten kun je op iedere plek. Zoveel schitterende 'posti belli', mooie plaatsen, zijn er, weliswaar piepklein, maar daarom niet minder mooi, waar je volop kan genieten van het Toscaansc landschap, dat van Umbrië, of dat van Lazio. Ieder heeft zijn eigen karakteristieke trekken. Het Toscaanse landschap is 'in piena staggione,' het volle seizoen, bijna volledig geel. Glooiende hellingen met grote rollen stro. Umbrië daarentegen is meer groengeel gevlekt. Een blauwe waas hangt over de velden van de vele olijfgaarden.

Als je de grens passeert van de ene regio naar de andere, dan is het onmiskenbaar: Dat is Umbrië, en dat is Toscane.

Ons is het in ieder geval duidelijk geworden, dat we niet perse een topper hoeven uit te kiezen om te genieten, het mag een gehucht zijn met enkele tientallen woningen. Geen reisleider voor je voeten, met het omhoog gestoken vlaggetje, die je overal naar toe brengt. Niet in een rij hoeven te lopen met honderd Japanners of Amerikanen.

Een ding is zeker, waar Japanners zijn, daar is het mooi. Tref je lange rijen aan, dan weet je dat je op een mooie plek bent. Het is er niet voor niks zo druk. Het vervelende aan 'grote schoonheden,' is dat je ze nooit rustig kunt consumeren, alle heerlijkheden moet je met duizenden anderen delen.

Om die reden kozen we vaak voor 'het kleine', een stadje als Bagnoregio, gelegen op een rots.

Een zeer steiloplopende brug brengt je er heen. Het bestaat slechts uit tientallen huizen, waarvan de meeste leeg staan. Bouwvallen dikwijls.

Een heel oud dametje sprak me aan, toen ik langs haar huis kwam: 'Buona sera signore, vorrei raccontarla qualcosa sulla storia di questo paese,' goedenmiddag meneer, ik zou u graag iets willen vertellen over de geschiedenis van dit dorp.

'Ga uw gang,' was mijn antwoord. Ik had het sterke gevoel, dat ze er iets aan wilde verdienen, maar goed.

'Ziet u aan de overkant van het ravijn een dorpje liggen signore?'

'Jazeker, ik zie het heel duidelijk liggen.'

'Vierhonderd jaar geleden heeft hier een aardbeving plaats gevonden. Die was zo hevig, dat er een ravijn is ontstaan in het midden van de stad.

In die tijd zaten die twee stadsdelen nog aan elkaar.'

Veel meer had ze me niet te vertellen. Ik bedankte haar voor de uitleg en gaf haar duizend lire.

'Molto grazie signore.'

Ze zakte weer op haar stoel en zwaaide me na.

Over het muurtje keek ik, genietend van het betoverende landschap, in de eindeloze diepte, de oneindige verte. De aarde had overal een andere kleur. Het leek of de lava net uit de krater was gekomen en maar amper was op gedroogd.

Eigenlijk is Italië een vulkaan, het breukvlak loopt van top tot teen door het land heen. Hier en daar komt het gloeiend hete water de bodem uit, om vervolgens een rivier te vormen, die zwaveldampen uitbraakt. Het schijnt genezend te zijn voor je huid, maar slecht voor je longen. Je bent je psoriasis kwijt en een longaandoening rijker.

Het stinkt naar rotte eieren. De lucht moet je niet onmiddellijk afspoelen, want dan gaat de genezende werking eraf.

Als je even later met je vrouw of vriendin in de auto stapt, gewassen en al, dan krijg je het gevoel dat de katalysator stuk is.

Maar het is de zuivere zwavellucht die je ruikt, romantiek met een luchtje.

Bagnoregio is een stadje, dat aangegeven staat met een bord, waarop een tekst staat:

'Citta dove muore la gente,' stad waar de mensen dood gaan. In iedere stad gaan de mensen dood. Eigenlijk bedoelt men dat het uitgestorven is.

Het is een van de meest magische oorden, die ik ooit bezocht heb en dat zo dicht bij 'huis'.

Je hoeft het dus niet altijd zo ver te zoeken, al het schoons.

Dan maar eens een dagje 'thuis' blijven, dat wil zeggen: luieren aan het meer onder de schaduw van een boom, af en toe een 'tuffo' in het 'lago,' zodat je de hitte van de zon weer voor een kwartier kunt weerstaan. Onder de kruinen valt het uit te houden, maar in de zon raad ik iedereen af de kans te lopen in slaap te vallen. Het is mogelijk dat je jezelf niet herkent indien je in de spiegel zou kijken.

Lopen door het zand valt ook niet mee; voor je het weet ben je in het bezit van een brandblaar.

Zwart is het zand trouwens. Pure lava, uit de dode krater.

Ik geloof niet zo in dode kraters! Geloven doe ik het pas als ik weer levend thuis gekomen ben. Bij een luie dag moet je je natuurlijk nergens druk om maken. Ook niet om het eten.

Uit eten gaan dus, om de dag volledig in dienst te stellen van de luiheid. 'La pigrizia'.

Luiheid moet je verdienen. Heerlijk is 'het lui zijn' als contrast op alle drukdoenerij van de andere dagen.

Wat is er fijner, je het gemak aan te laten leunen, na je hoofd gepijnigd te hebben met duizenden wetenswaardigheden

Het ergste daarvan is, dat er een dwingeland in je zit die vindt dat het allemaal moet: 'Va Vista!'

Deze dag niet. Wij hebben recht op een heerlijke maaltijd. Met zijn vieren dus naar 'Bar Centrale,' op de markt.

We stappen in de auto, starten hem. Hij lijkt op een boze kat. Zo snel mogelijk wil hij, zij voor de echte liefhebbers, de warmte eruit gooien. Wat voel je je toch geprivilegieerd.

Zonder het netjes te vragen braakt de auto koude lucht uit. Links en rechts van de oneindig lange oprijlaan staan olijfbomen. Sommige zijn honderden jaren oud. De goede toon is gezet. De opmaat voor een geslaagde avond.

Langzaam rijden we richting Bolsena.

Om er niet helemaal een nutteloze dag van te maken, besluiten we eerst nog maar eens het stadje door te lopen.

Dat is het! Het echte Italië. Onbedorven. Puur.

Hier kun je de vuiligheid van het leven loslaten. De volmaakte catharsis.

Geen grote 'supermercato', geen grote winkelbedrijven. Alles is nog kleinschalig: kleine slagerij, kleine bakkerij, zoals je bij ons alleen nog maar de kleine exclusieve zaakjes hebt. Daar zijn ze allemaal exclusief. Ieder zaakje heeft zijn bekoring. Altijd de eigenaar zelf die je helpt.

Je voelt, dat je voor een moment mee telt, uit de anonimiteit gehaald. Een warm gevoel.

Langzaam slenteren van winkeltje naar winkeltje. Iedere 'kijk naar binnen' biedt een tafereel dat de moeite waard is: Ze verkopen je niet iets, nee,

ze staan hun dikwijls zelf geproduceerde kindjes, met liefde af. Dikwijls een product uit eigen tuin, of anders iets wat ze met heel hun ziel hebben klaar gemaakt. Als consument krijg ik de volle aandacht. Ik geniet, nu pas, nu pas echt. Dit is het leven. Wezenlijk is het: dicht bij de basis, eten, alles wat nog met de grond te maken heeft. Al het andere is bijzaak. Dat is wat we vergeten zijn. Eten, de hoofdzaak in het leven.

Zijn we daar niet ver vanaf gegroeid en zijn we niet de hele dag bezig met zaken, die niets meer met de basis van het bestaan te maken hebben?

Dan stoppen we met zijn allen bij de 'gelateria', ijssalon. Op het terras zitten enkele mensen een 'maaltijdijs' te verorberen. Een kwestie van flink door eten, voordat de hitte je 'Coppa banana' veranderd heeft in een bananenlikeurtje.

De ober brengt enkele lieden als desert een 'cappuccino'. De witte schuimlaag wordt overgoten met gesmolten chocola.

Met de bewegingen van een artiest weet de ober een waar kunstwerk te fabriceren. Wat een pracht van een kop koffie.

Dat willen wij ervaren, deze kunstbeleving.

Que cosa volete? Vraagt de ober ons beleefd.

We vragen hem of we ook zo'n mooi kunstwerkje mogen proeven.

'Certo! Lo porto io!' Zeker, ik breng het.

We laten iedere slok een tijdje wachten in onze mond en rekenen af: Tachtig eurocent.

We vragen de ober, of hij zich niet vergist heeft.

'No, prezzo normale.' Normale prijs.

'Incredibile!'

We slenteren weer verder en kijken bij de slager naar binnen. 'Il macellaio'.

Een 'kortebroekenstel,' trekt onze aandacht.

Een gratis voorstelling kan ons wel bekoren. Zo te zien hebben ze een cursus Italiaans achter de rug. Ze proberen het in praktijk te brengen.

Ze bestellen iets:

'Voglio un gallina' zegt de dame.

De slager doet het in zijn broek van het lachen en zegt:

'Un attimo signori,' een ogenblik mevrouw en meneer.

'Vengo subito.' Ik kom zo meteen.

De slager loopt naar achteren en komt met een kip onder zijn armen terug.

'Is deze groot genoeg?'

De Olandesi staan te schutteren. Behalve in hun korte broek, afritsbaar, staan ze nu ook nog in hun hemd, ook zonder mouwen.

'Zeg Kees, staat die slager ons nou in de maling te nemen? Een kip is toch een 'gallina', of was het een 'gallo', nou weet ik het niet meer.'

De slager zakt nu helemaal door zijn knieën van het lachen, neemt de 'gallina' weer mee naar achteren en komt met de 'gallo' aan.

'Lei preferisce il gallo?' U prefereert de haan?

Het kortebroekenstel heeft het niet meer. Hebben ze de hele winter Italiaans geleerd om hier een beetje voor schut te staan?

De slager wil het niet al te bont maken en legt het stel uit, dat een 'gallo' en een 'gallina' veren hebben en nog in leven zijn.

Willen ze kip of haan eten dan moet ze een 'pollo' bestellen. 'Kijk,' zegt hij en wijst met zijn vinger naar de vitrine, daar liggen ze.

Brullend van het lachen stonden we voor de etalage, bijna gênant. We liepen door, bang voor boze blikken. Het lachen en de hitte hadden ons krachteloos gemaakt, maar 'soddisfatto', voldaan. De lach, die de slager ons geschonken had, geheel gratis, had ons waarschijnlijk meer voldoening gegeven, dan de lach om de mond van Leonardo's Mona Lisa. Hier kon niets tegenop.

Voor het terras te vol zou worden moesten we onze slenterpas maar eens versnellen. De honger stuurde ons ook al richting 'Bar Centrale'.

We kwamen bij het terras aan. Waarschijnlijk hadden de taferelen onze aandacht wat langer vastgehouden dan gepland: Het terras was vol!

Rafaele, de baas, zag er zoals altijd, zeer vermoeid uit.

Hij stuurde verschillende mensen weg. Handen in de lucht: Pieno! Vol.

Hij zag ons aankomen. Zijn vermoeidheid viel plotseling van zijn gezicht. Hij wenkte ons. 'Venite amici,' kom vrienden.

Sinds jaren behoorden wij tot zijn 'Amici'.

Zijn terras was vol, maar niet voor ons.

'Even wachten, er komt zo wel een plekje vrij.' 'Quanti siete?' (Met hoeveel zijn jullie?)

We kregen een kleine tafel aan geboden, aan de weg.

Kronkelend liep de weg richting Orvieto. Er was veel te zien: Italiaanse macho's, die trots hun bolide wilden tonen. Soms flaneerden ze voor het terras langs om te kijken of er nog 'amici' zaten. Het terrasleven is belangrijk voor de Italiaan. Daar speelt zich zijn sociale leven af.

Dan komt er zo'n beeldschone man aangereden, in een even beeldschone auto, parkeert zijn beauty voor het terras…, illegaal.

Plaats is er niet, dus gaat hij naar de bar om een caffé te drinken.

Het duurt niet lang, of er komt een politieagent aan. Deze kijkt naar de auto, vervolgens in het rond, of de eigenaar zich meldt en als het hem te lang duurt, pakt hij zijn fluitje en laat een schrille toon horen.

Onmiddellijk komt de 'acchiappadonne,' rokkenjager, de bar uit en begrijpt het al:

Hij zegt tegen de agent:

'Ciao Roberto, solamente un caffé!'

Roberto slaat de vriend op de schouder, zegt: 'naturalmante amico', en verdwijnt weer.

De 'cameriere' komt langs om ons te vragen wat we willen drinken:

'Buona sera signori, prima bere qualcosa?' (Eerst iets drinken?)

We bestellen een fles 'vino bianco'. 'Canei' krijgen we.

Spoedig komt een andere serveerster langs voor de maaltijd: 'Mangiare?'

Als 'voorafje' nemen we 'crostini', toast met allerlei hartigheden. Heerlijk smaakt dat bij de wijn.

Vervolgens bestellen alle vier 'Coregone', vis uit het meer. Daarbij komt 'patate fritte' en 'insalate mista'. De 'coregone' is helemaal vers. 's Ochtends vroeg om zes uur komen de vissers hun vis al brengen bij Rafaele. Zij zijn dan toe aan een caffé.

Dat is ook de reden dat Rafaele er zo moe uit ziet. De dag is hem te lang.

Met volle teugen zuigen we de sfeer van de avond op. 'Una bella serata', mooie avond.

Zodra je je bord leeg hebt, wordt het weg gehaald. Dat is niet onfatsoenlijk daar. Het hoort zo. Als we het eten op hebben, wordt er onmiddellijk een serveerster op ons afgestuurd, om te vragen of we nog wat anders wensen: 'altro?'

We hebben niet zo veel behoefte aan een 'gelato', ijs, aangezien onze magen al aardig gevuld zijn. Dus bestellen we allemaal een caffé.

Na de koffie krijgen we nog een 'limoncello' aangeboden, een verrukkelijk, koud likeurtje, met citroensmaak.

We genieten nog wat na.

Een arm gaat in de lucht en Rafaele begrijpt dat we wensen te betalen: 'Il conto per favore!'

De rekening wordt gebracht: Rafaele telt: wijn, crostini, Coregone, insalata mista, koffie en limoncello.

'De koffie en de limoncello zijn voor mijn rekening,' zegt hij. Zo doet hij dat, als hij ons na een jaar voor het eerst weer ziet.

Van boven tot onder strijkt hij me over mijn rug, ten teken van eeuwige vriendschap en zwaaiend verlaten we 'Bar Centrale'.

We konden het niet over ons hart verkrijgen, om de dag in totale luiheid door te brengen en besloten om er toch nog een ontknoping aan te geven.

De dag zou volmaakt worden, ondanks de geringe ondernemingslust, indien we 'de trappen omhoog,' er nog even bij zouden doen: De trappen naar het oude Etruskische gedeelte van de stad. Deden we.

Het was ondertussen donker geworden. Honderden trappen moesten we beklimmen en dat met een volle maag.

Eerst kwamen we een onooglijk hondje tegen. Hij had bovenmatige belangstelling voor onze hond 'Donna,' dat betekent 'vrouw'.

Zelfs de honden daar zijn 'acchiappadonne', rokken… Hij was niet weg te slaan.

De 'ideale schoonzoon' werd het onooglijke beestje genoemd. Van je vrienden moet je het maar hebben!

Overal in de hele smalle steegjes zitten oude mannetjes en vrouwtjes.

We begroeten hen: 'Buona sera!'

In koor terug: 'Buona sera!' Dat is hun sociale leven: Praten op een stoel voor de deur.

Overal kom je katten tegen, klein en mager. Vette katten zie je niet.

Dikwijls zitten ze op een muur en blazen naar de hond. Deze reageert er niet op.

We wandelen door totdat we op een plek komen waar we over het hele meer kunnen kijken.

Hier laten we de dag nog even aan ons voorbij gaan, in ademloze stilte. 'Solamente godere della vita', alleen maar genieten van het leven.

De 'pigrizia' achter ons latend, begeven we ons naar 'huis.' 'Ciao bella Italia, mio grande amore! Io ne sono uno di te. Dag Italië, mijn grote liefde!

Ik ben er een van jou!

18

Olijfolie, extra vergine

'Braden in boter', dat doe je niet in Italië, dat wil je ook niet. Net zo goed nemen we ook geen zak aardappels mee, of een krat bier. Om dezelfde reden maken we ook geen boerenkool met worst klaar of stamppot. Daarom doen we alles zoveel mogelijk op zijn Italiaans, althans proberen we die sfeer enigszins te benaderen. Bakken doen we dus in olijfolie. Is waarschijnlijk ook gezonder.

De 'extra vergine' gebruikten we voor de bijzondere gerechten: 'crostini', geroosterd op een gietijzeren plaatje. Knoflookteentjes eroverheen geraspt. Daarna begoten met een vleugje 'extra vergine'. Enkele korrels zeezout of enkele fijngesneden tomaatjes erop moesten ons het perfecte hapje opleveren bij de witte wijn die we dagelijks ritueel dronken, omdat het bijna uitgesloten was door de moordende hitte, om op het tijdstip van vijf uur 's middags het in je hoofd te halen al aan de maaltijd te beginnen. Te heet.

Stilzitten schreef de natuur ons voor, anders werd je onmiddellijk afgestraft met drijfzweet. Eigenlijk was ieder kledingstuk er een te veel, maar voor 'bloot' zijn er andere campings. Wij zijn meer voor gekleed, al is het minimaal.

Dat minder dan minimale kan ons wel bekoren, niet voor onszelf, maar wel voor een ander.

Vermakelijk is het, zoals anderen er soms bijlopen, of zitten.

Terwijl je geniet van een glas wijn, dikwijls een aantal achter elkaar, observeer je de langskomers. Nietsvermoedend denken ze dat je bezig bent te eten. Dat is ook wel zo, maar ze moesten eens weten dat jouw ogen een glimlach vertoonden bij het zien van hun belachelijke 'outfit'. Daar hoef je niet voor naar de bioscoop. De mooiste films spelen zich af op de camping.

'Kijk daar eens schat, daar loopt weer wat!'

'Jezus, hoe krijg je het voor elkaar!'

Zo trots als een pauw in volle tooi, loopt er een schilderij voor ons langs.

Geen plekje te vinden op het hele lijf, dat geen kleurtje heeft.

Veel supporters zal hij op deze plek niet vinden. Zeldzaam is het wel, dit exemplaar.

Een kloppend geheel is het ook: de spiermassa is evenredig aan de hoeveelheid plaatjes en zijn kapsel is ook passend: kaal en spiegelglad. Het scheermes maakt overuren. Voor het gemak hoef je het niet te doen. Bij deze types blijft de kaalheid meestal niet beperkt tot de schedel. Nee, alles glad is in, van top tot teen. Wat je niet hebt, daar hoef je je ook niet voor te schamen. 'Schaamhaar' kan ook geschrapt worden uit onze vocabulaire.

'Allemaal plebs', vertelde men mij vroeger. Dat was in de tijd toen spieren en krachthonken nog niet voor iedereen waren. Spieren waren niet 'in' en krachthonken ook niet. Maar de beschaving van onder rukt op naar boven. Het schijnt toegestaan voor alle lagen van het volk.

'Daar loopt zijn kameraadje, maar dan in een wat oudere uitvoering!'

'Ja', zei ik. Bij hem beginnen de jaren spijt al te tellen. Zijn plaatjes, die ooit zo strak stonden, hangen erbij. De vetkwabben vallen hier en daar over de plaatjes heen.

Aan zijn houding is te zien dat hij er minder trots op is dan de vorige passant.

'Zouden sommigen zich niet schamen?', vroeg ik.

''k Denk het niet, anders zouden ze er zo niet bijlopen.'

'Het lijkt wel of men geen schaamte kent op een camping, als je ziet hoe sommigen er bijlopen!'

'Dat gevoel heb ik ook', zei ik.

'Er zijn erbij die slechts één kledingstuk dragen in een hele vakantie: het badpak. Het lijkt wel alsof hier zo ongeveer de slaapkamernorm geldt. Thuis durf je je zo niet te vertonen, maar hier moet alles kunnen. Waar zit hem dat toch in?'

Komt een dame uit de douche, gewikkeld in een badlaken. Als ze er thuis zo zou bijlopen, zou ze de deur niet durven opendoen voor de loodgieter. Maar hier valt de schaamte af. Iedereen is thuis.

Sta je in de rij in de campingwinkel, dan ben je omgeven door badpakken. Vreemd. Als diezelfde persoon in badpak thuis wil zonnebaden, dan moet de tuin honderd procent privacy bieden. Niemand mag je zien. Alle voyeurs mogen openlijk kijken op de camping. Ineens is er geen voyeur meer. Zou het een vorm van legitiem exhibitionisme zijn? Wie weet.

We zitten aan het strand. Terwijl we in een luie stoel uitgestrekt genieten van het uitzicht over het Lago di Bolsena komt er een groep Duitsers aan.

Zo te zien, zijn ze tussen de dertig en de veertig.

Ze hebben allemaal hun fiets bij zich, die ze uitstallen voor ons uitzicht.

Er staat geen verbodsbord voor fietsen, dus zal het wel mogen.

Ze leggen hun badlakens zo neer, dat ze een flinke privézone creëren. Tussen de bomen worden enkele hangmatten geplaatst die hun streven naar Lebensraum nog wat accentueert. Het vreemde is, dat niemand van hen er gebruik van maakt. Het komt nogal brutaal op me over. Misschien ben ikzelf te bescheiden.

'Zullen we een drankje gaan halen?' zeg ik tegen mijn vrouw.

'Ja, laten we dat maar doen', zegt ze.

Als we terug komen, zijn de badlakens opgeschoven tot aan ons voeteneind.

We hadden geen zin in een confrontatie en pakten onze stoelen wijselijk op en kozen een andere plek.

Op afstand bekijken we de zaak nog eens. Dan gaan de Duitsers met zijn allen het water in. Ze gooien met een bal. Duwen elkaar onder water. Spelen een soort badminton in het water en af en toe schiet een kind meters door de lucht om vervolgens met een plons weer in het water terecht te komen. Dikke pret.

Dan besluiten ze zich weer op te laten warmen door de zon. Na enkele minuten zijn ze weer droog, behalve het zwempak natuurlijk.

Enkele dames trekken het natte topje uit. Is ook niet fijn, zo'n nat topje. Opvallen doet het ook niet zo. Vervolgens gaan ze gestrekt op de grond liggen. Het broekje gaat ook uit. Vervolgens wordt de naaktheid weer bedekt met een droog badpak.

'Zouden ze zich niet schamen?', vroeg ik me af. Ik had het vermoeden van niet.

Het gekke was, dat ik me wel schaamde, omdat ik verrast werd door hun uitkleedpartijtje. Nou ja, het was maar goed dat ik niet meer vlak achter hen zat. Ik voelde me meer bekeken dan zij. Ik begon het zo langzamerhand een beetje te begrijpen.

Er waren dames die hun schaamte van zich af geschoren hadden, dat moest het zijn.

Er ging nog een flits door me heen of het nog iets met de oorlog te maken had. Dat ze hun schaamte over alles nou eens voorgoed kwijt wilden. Misschien dat ze af wilden van hun degelijke imago of hun wijd en zijd verbreide correctheid.

Eentje maakte het helemaal bont. Ze ging er niet bij liggen om haar naaktheid nog enigszins te verbergen, maar ging frontaal voor me staan toen ze haar broekje uitdeed.

Een flinterdunne haarstreep keek me aartsbrutaal aan. Ik keerde mijn blik niet af. Waarschijnlijk wou ze iets laten zien. Plotseling draaide ze zich om en nam ze plaats in een ligstoel. Ik sloot mijn ogen voor een moment en hield het beeld nog even vast.

Even later opende ik mijn ogen weer. Vooral lezers waren het die ik zag.

Het viel me op dat er vele lezers waren die hetzelfde boek lazen. Dat waren de boeken waar iedereen het over had op dat moment. Vooral Dan Brown was kennelijk populair.

Voordat je op het strand kwam ontmoette je een bord, waarop stond: verboden voor honden. Wel in het Duits. Vreemd vond ik dat omdat de grootste populatie bestond uit Nederlanders. Weliswaar waren er ook veel Duitsers, maar ik mag aannemen dat het plaatje met een Duitse herder met een schuine streep erdoor voldoende moest zijn om te weten wat de bedoeling was.

Een aantal badgasten trokken zich van het bord niets aan. Of ze lagen in de schaduw van een boom met hun hond of op het strand onder de parasol.

Ik aanschouwde het tafereel als hondenliefhebber met genoegen. Veel kwaad zag ik er niet in als een enkele hond met zijn baasje het water in ging om ook wat verkoeling te krijgen. Ik kon het echter niet goedkeuren als een kletsnatte hond die uit het water kwam het eerste beste paaltje opzocht om tegenaan te plassen. Weet een hond veel, wat het verschil is tussen een parasol en een paaltje!

En jawel hoor. Een dame stapt driftig in de richting van de hondenbezitter.

'Haben Sie das Brett gesehen? Sie dürfen hier keinen Hund haben!'

'U bedoelt dat bord daar?'

'Ja!'

'Maar mevrouw, op dat bord staat een Duitse herder, dus dat geldt niet voor mijn hond! Dat is voor herders en dan alleen maar... Duitse! Verstehen Sie das?'

Ik had het niet meer. Wat werd die Duitse dame te kakken gezet. Het was weer eens zo'n Duits typetje van de oude generatie. Die willen graag iedereen leren hoe alles hoort. Helemaal volgens de regels.

Wat was ik blij dat ik die middag er niet op uit getrokken was om cultuur op te snuiven.

Cultuur van het hogere soort zullen we maar zeggen. Nee, dit was nog eens cultuur!

Als een hond droop de dame af, met de staart tussen de benen. Ze had een nederlaag geleden. Ik pakte mijn aantekenboekje, zette glimlachend Nederland in de linkerbovenhoek en Duitsland in de rechter. Ik turfde met leedvermaak een ééntje.

'Zal ik dit grapje aan iemand vertellen?', ging er door me heen. Wel een beetje banaal dacht ik. Laat ik het maar voor me zelf houden en er af en toe nog eens met plezier aan terug denken.

Ik klapte mijn strandstoel in, pakte mijn spulletjes bij elkaar en ging terug naar de caravan. Het werd ook behoorlijk fris aan het strand vanwege de keiharde wind die laat in de middag meestal kwam opzetten. Onder de boom werd het dan zelfs koud, ondanks de enorme hitte. De 'tramontana', de noordelijke wind, kon voor een behoorlijke afkoeling zorgen. Keihard blies hij over het water en over het strand.

Op dat moment vlogen er parasols door de lucht, luchtbedden, plastic speelgoed. Noem maar op.

Iedereen die in dat gebied komt weet dat die verraderlijke wind op ieder moment in de middag kan toeslaan. Als je op dat moment midden op het meer bent met een klein zeilbootje, dan ben je in levensgevaar. Zeker indien je niet goed zeilen kunt.

Het dramatische verhaal van een Duitse man die met een kano het meer opging met twee kinderen erin schoot me door mijn hoofd.

Hij voer ongeveer honderd meter uit de kust met zijn kano. Twee van zijn kinderen zaten voor hem met zwembandjes om. Zijn vrouw zat aan het strand met hun kleine baby. Plotseling stak de 'tramontana' op. De kano woei om. Zijn vrouw kon alleen maar radeloos toekijken. Ze sloeg alarm. Redding kwam te laat. De kinderen zijn aangespoeld in Marta, de volgende dag. Hem hebben ze nooit terug gevonden.

'Waarom, waarom, waarom', dacht ik…

'Aha, je hebt de wijn al klaar gezet!', zei ik toen ik aankwam op de camping.

'Ik ben wel toe aan een goed glas wijn, zeker als er wat 'crostini' bij zijn met 'extra vergine' er op.

Mijn buren, die al bekend waren met ons 'momento supremo' kwamen onmiddellijk om ons van de wijn af te helpen. We hadden al heel gauw onze favoriet gevonden: 'Confidenza'. Fantastisch en dat voor die prijs. Nou is het misschien bedrieglijk. In een bepaalde sfeer smaakt iets altijd lekker. Zodra je die wijn drinkt in een normale huiselijke sfeer, dan blijft er van je favoriet niets over. Dat gold echter niet voor de 'Confidenza'. Ook thuis was hij heerlijk. Wijnkenners waren er verrukt over.

'Hoe kom je aan die heerlijke olijfolie?', vroeg mijn buurman, terwijl hij een hapje van de crostini proefde.

'Gewoon hier aan de overkant in de campingwinkel!'

'In een campingwinkel hebben ze geen goede olijfolie', zei mijn buurman Ron.

'Nou, je proeft het toch!'

Ik liet hem het blik olijfolie zien: 'Olio d'oliva extra vergine di Battaglini.'

'Zegt me niets, zei Ron.'

'Mijn vrouw koopt alleen maar goede dingen anders durft ze dat jou niet aan te bieden zei ik!'

'Uiteraard,' zei Ron.' Ook Ila, zijn vrouw beaamde dat.

De volgende dag, zelfde traditionele tijd, kwam Ron naar ons toe met een blad in zijn hand: 'Italië', speciaal over Italiaans eten.

'Kijk eens wat hier staat', zei hij:

'Olijfolie extra vergine van Battaglini behoort tot de beste olijfolies ter wereld.'

'Kijk eens aan Ron, ben je nu overtuigd?'

Dat hij zo goed was wisten wij ook niet, maar het was ons een genoegen.

'En dat voor zo'n ordinair campingwinkeltje he!'

'Hoe is het mogelijk', zei Ron!

'Zal ik het blad eens meenemen naar de winkel, want waarschijnlijk zijn ze hiervan niet op de hoogte.'

Ik nam het blad mee naar binnen en toonde het aan de man die de winkel pachtte.

'Sono molto contento', zei hij. 'Mag ik het blad even houden?'

'Natuurlijk zei ik, ik sta hier aan de overkant.'

'Dat weet ik, ik breng het u zo spoedig mogelijk terug.'

Wij gingen verder met onze 'Confidenza' en de 'Battaglini.'

'Kijk eens Ron, daar komt de winkelchef aan met een heer!'

Ze kwamen onze kant op:

'Buona sera signori, mag ik u de heer Battaglin voorstellen?'

De heer Battaglin was een zeer bescheiden, sympathieke man.

Hij schudde ons de hand en zei zeer verheugd te zijn over het goede nieuws. Dat zijn naam en faam ook al doorgedrongen was tot een Nederlands blad van niveau deed hem veel plezier.

'Mag ik u allen misschien uitnodigen een kijkje te komen nemen in mijn fabriek, de 'Frantoio?'

'Waar staat uw fabriek?', vroeg ik.

'Net buiten Bolsena aan de weg naar Montefiascone aan de linkerkant van de weg'.

'Kan het maandag aanstaande', vroeg ik, 'want we blijven nog maar enkele dagen.'

'Va bene', was zijn antwoord.

'Elf uur past dat u?'

'Va bene, vi aspetto alle undici. (Goed, ik verwacht jullie om elf uur)

Maandag om precies elf uur reden we de poort binnen van Battaglin.

Een oude man stond ons op te wachten: de vader van degene die we op de camping ontmoet hadden.

'U bent de heer Battaglin, de vader…?'

'Ja, ik ben de vader, ik geef u een rondleiding'.

'Spreekt u Italiaans?', vroeg hij mij.

'Ja, ik spreek Italiaans, ik zal het wel vertalen voor de anderen.'

De heer Battaglin was een kleine man. Een jaar of vijfenzeventig denk ik, dat hij was.

Hij had een knalrode poloshirt aan en een grijze spijkerbroek. Wat on-Italiaans had hij een paar Nikes aan.

Zeer indringend keek hij me aan.

'Volgt u me maar'.

In zeer duidelijk Italiaans legde hij uit hoe het bedrijfje werkte.

Het was een piepklein bedrijf. De ruimte waar de machines stonden was niet groter dan veertig tot vijftig vierkante meter.

Hij vertelde ons dat de pluk nog met de hand geschiedde, maar dat de verwerking tot olijfolie geheel gecomputeriseerd was. Ze runden het bedrijf dan ook met hun tweetjes.

Heel gedecideerd legde hij uit hoe de machine drie stoffen van elkaar wist te scheiden zonder dat er ook maar een mensenhand aan te pas kwam.

Steeds wachtte hij na de uitleg tot ik de vertaling had gegeven. Op zeker moment had hij het over 'sansa' en met zijn priemende oogjes zag hij onmiddellijk dat ik dat woord niet kende.

'U weet niet wat 'sansa' is?'

'Nee,' zei ik. Ik gaf te kennen dat ik het woord 'sansa' niet kende, maar dat ik ondertussen wel begrepen had wat het was: pulp. De andere gasten hadden dat ook al begrepen.

Ik verbaasde me een beetje over het feit hoe indrukwekkend diep de man me in de ogen keek. Een fractioneel moment van onbegrip had hij onmiddellijk in de gaten.

Een prangende vraag die iedereen had was waarom op de ene fles stond 'biologico' en op de andere niet.

'Dat is heel eenvoudig', zei hij: 'als ik er 'biologico' op wil zetten dan moet ik daar een heleboel geld voor betalen.

'Dus ze zijn gelijk van kwaliteit?'

'Jazeker!'

'En wat is het verschil tussen deze twee? Ze hebben een ander etiket!'

'De een heeft een andere smaak als de ander, een kwestie van iets vroegere of latere oogst.'

Tot slot wilde de heer Battaglin ons zijn winkel nog laten zien, waar al zijn producten uitgestald stonden. Behalve olijfolie werd er ook zeep verkocht. Zeep, gemaakt van olijfolie. Huidcrèmes stonden er en ook wijn. Maar de wijn had hij niet zelf gemaakt.

We laadden onze tassen vol met de exclusieve producten en namen geheel voldaan afscheid van de heer Battaglin.

Na zoveel indrukken over de productie van de olijfolie was het beste idee dat ons te binnen schoot tegemoet te komen aan de behoefte om te luieren aan het strand. Dat deden we dan ook.

's Avonds schoven we alle tafels tegen elkaar aan om met zijn allen nog eens terug te blikken op de indrukken van de ochtend. De Confidenza's leegden zich met een hoog tempo. Na het eten was het laat geworden. Om ons heen stond een verzameling lege flessen.

Ik pakte een tas en vroeg aan mijn vrouw of ze nog even mee wilde lopen naar de glasbak. De glasbakken en de vuilcontainers stonden bij de poort van de camping.

Op het moment dat we naar de heldere hemel keken om te ontdekken waar de 'Grote beer' en de 'Kleine beer' waren kwam een fietser ons tegemoet met een zaklantaarn in zijn hand. Hij fietste op de toegangslaan naar de camping, een zandweg met aan weerszijden olijfbomen. Hij scheen met zijn lantaarn in onze richting om te kijken of er geen gasten de camping op kwamen die er niets te zoeken hadden.

'Ah', zei hij goed volk. We hadden elkaar al vaak gesproken.

Altijd in het donker omdat hij nachtwacht was. Meestal kwamen we hem tegen voor we naar bed gingen. We liepen dan in de richting van de poort. Daar waren grote velden waar de hond nog het een en ander kon doen.

'Hebben jullie de hond niet meer?', vroeg hij.

'Nee, die is al twee jaar dood.'

'Che peccato', (wat zonde) zei hij, terwijl hij ons enigszins medelijdend aankeek.

Ook hij was namelijk een echte hondenliefhebber.

'Hoeveel honden heeft u nog?', vroeg ik hem.

'Ik heb er nog zeven', vertelde hij me. 'Bloedhonden'.

'O ja, u bent een jager hè? Waarop jaagt u?'

'Op zwijnen en op konijnen. Als ik op konijnen jaag dan heb ik genoeg aan zeven honden, maar als ik op zwijnen jaag dan neem ik er dertig mee.'

'Dertig? Dat is nogal wat.'

'En hoe gaat dat dan?', vroeg ik.

'Ze volgen het spoor van een zwijn en als ze hem hebben gevonden gaan ze er in een kring omheen staan. Als ik dan bij de kring aankom, kan ik het zwijn zo neer schieten.'

'Interessant', zei ik.

'Ondertussen ken ik u al tien jaar en heb ik u nog nooit gevraagd waar u woont.'

'Ik woon in Grotte di Castro', zei hij.

'Dat is een heel mooi stadje, echt Etruskisch', zei ik. 'Wist u trouwens dat Etrusken van oorsprong Turken waren?'

'Turken?'

'Ja, Turken.'

'Dat wist ik niet'.

'Het DNA van de Etrusken komt heel sterk overeen met het DNA van Turken. U heeft toch wel eens van DNA gehoord?'

'Ja, ik weet wat dat betekent. Dus ik ben eigenlijk een soort Turk!'

'Ja'. Vervolgens begon Carlo onbedaarlijk te lachen en zei een aantal keren achter elkaar terwijl hij wegfietste: 'Io sono Turco, io sono Turco, ha, ha, ha!

Hij fietste weg in de duisternis van de olijvenlaan, keek nog eens om, zwaaide en schreeuwde nog eenmaal: io sono Turco!

De olijfbomen aan weerskanten van de weg deden me denken aan een tunnel. Het beeld van de Hollewegen kwam bij me op. De Hollewegen bij Sovana en Pittigliano.

Deze wegen waren vijfentwintig honderd jaar geleden uitgegraven door de Etrusken.

Het gebied rond Pittigliano was al behoorlijk dichtbewoond in die tijd. Ook Grotte di Castro was zo'n Etruskische nederzetting. Als een soort adelaarsnest heeft het zich neergevleid over een scherpe bergkam. Moeilijk in te nemen voor de vijand.

Je herkent ze onmiddellijk. Net eeneiige tweelingen. Opgebouwd uit 'tuffo', tufsteen.

Onvoorstelbaar is het dat de kleine mensjes uit die tijd wegen hebben uitgegraven uit de tufsteen van tien tot twintig meter diep. Hier en daar zie je een soort kanaaltje in de weg dat kennelijk iets te maken heeft met de waterafvoer. Hier en daar kom je graven tegen.

Prachtige muurschilderingen moesten het hiernamaals kennelijk een beetje opvrolijken voor de gestorven Etrusk. Ieder schilderij vertelde iets over het beroep dat de overledene had gehad. Sommige voorstellingen zijn verweerd. Enkele vertonen nog geen enkele sleet. Als je in zo'n graf staat dan ben je een moment terug in de tijd.

Het is er koud en vochtig, ook behoorlijk donker.

Sexuele taboes vielen hen kennelijk niet lastig, gezien enkele taferelen, die tonen dat een Etrusk op het punt staat zijn stijve fallus te penetreren in een wellustige dame. Dat ze in die tijd ook al over de nodige sexuele fantasie beschikten wordt ook duidelijk.

Toen we na het bezoek aan een Etruskisch graf in Tarquinia weer in de buitenlucht kwamen werden we volledig verblind door de felle zon. Zelfs een te donkere zonnebril kon het niet tegen houden, dat ik mijn handen voor mijn ogen moest houden. De hitte was verschroeiend. We stonden op een totaal verdorde vlakte. Toen we nog eens om ons heen keken viel het ons op dat de doden niet al te veel aandacht kregen. Er was zelfs een soort bar waar je een opfrissertje kon kopen. De juffrouw die ons bediende verveelde zich dermate dat ze amper in staat was vriendelijk naar ons te kijken. Wat wil je ook als je slechts één maal per uur de handen uit de mouwen hoeft te steken.

's Avonds kwam ik Carlo weer tegen.

'Buona sera, wat hebben jullie vandaag ondernomen?'

'Vandaag hebben we Etruskische graven bezocht en een wandeling gemaakt door de Holle wegen. De wegen van je voorouders.'

'Interessante', zei Carlo. 'Wisten jullie al dat er vrijdagavond feest is in Grotte di Castro?'

'Nee, dat weten we niet. Wat is dat voor een feest?', vroeg ik.

'Het is een feest, dat georganiseerd is door de plaatselijke wielrenvereniging.

Op talloze plekken heeft men terrassen gebouwd waar je kunt eten.'

'Dat lijkt me leuk', zei ik. 'Bedankt voor de informatie Carlo en buona notte.'

We stelden onze kring van 'Italiaanse vrienden' voor om met zijn allen die vrijdagavond naar Grotte di Castro te gaan. Iedereen was in.

Vrijdagavond.

Het is nog licht als we met het hele gezelschap in drie auto's stappen.

Enkele kilometers is het slechts naar het Etruskische stadje. De auto transpireert van inspanning en krijgt de afschuwelijke klim niet geheel gratis.

'De auto heeft het hier al moeilijk,' zei mijn vrouw. 'Je moet toch wel helemaal gek zijn om hier met een fiets naar boven te rijden.'

De twee gekken Frank en Jacob keken haar verwonderlijk

aan en begrepen die opmerking niet. Zoiets begrijp je pas als je die gekte bezit. Als de hobby zover is doorgeslagen dat het grenst aan gekte. Dat is niet uit te leggen. Het is een virus dat bezit neemt van je. Waarom de een besmet wordt met het virus en de ander niet is onduidelijk. Waarschijnlijk lijdt de ene persoon onder de kwelling van de inspanning en vindt de ander het prettig om op deze manier gekweld te worden.

Misschien is het een vorm van masochisme, maar dan op de fiets. Gelukkig accepteren anderen deze gekte van je om dat je er weinig mensen mee lastig valt. 'Gun ieder zijn eigen gekte', zei iemand tegen me. En zo is het eigenlijk ook. Iedereen heeft wel wat geks, maar dat maakt de mens zo interessant.

We komen aan in Grotte di Castro en zetten de auto neer buiten het centrum. Anders kan ook niet want het centrum is geheel autovrij gemaakt.

We wandelen in de richting van het stadje. Ondertussen is het schemerachtig geworden.

Grote lampen beschijnen vanuit de duisternis de tufstenen stad. Sprookjesachtig ligt het er bij.

Als we op een plein aankomen waar de eerste 'stand' is waar je bonnen kunt kopen om eten en drank te bestellen, nemen we plaats op het terras.

Ik zie alleen maar lokale bevolking: Italianen. Buitenlanders zijn er niet te bekennen.

Alle huizen worden beschenen door een lamp. Ik waan me in een andere wereld, even helemaal weg van thuis. Een paar vrienden uit ons gezelschap kunnen zich ontworstelen aan de lange rij van de eetstand en brengen ons iets van de lokale gerechten. Iets krokanterigs, lekker, maar niet je van het.

Hier wil ik even alles goed in me opnemen. De sfeer is nogal bizar. Bizar omdat het een sfeer is in een ambiance die je nooit ontmoet. De tijd lijkt hier ouder dan elders.

Terwijl ik om me heen kijk moet ik aan Paolo Conte denken. Een bepaald lied van hem zou niet misstaan op een begrafenis in een klein Siciliaans dorpje of in Grotte di Castro.

Daar komt een stelletje aan dat net getrouwd is met de hele familie erachteraan, in stoet.

Ik 'hoor' Conte spelen, met de magische klarinet op de achtergrond.

Voorop loopt het bruidspaar. De trouwjurk van de bruid heeft een gouden kleur. Een prachtige bruid zit er in, zeer geraffineerd opgemaakt. Ook haar schoenen zijn van goud. De hakken staan in de hoogste stand, bijna loopt ze op haar tenen, zoals in balletschoenen.

De wandeling zal niet lang kunnen duren. Naast haar loopt de bruidegom. Zijn pak zit als gegoten. Zwart met krijtstreep. Het is van een buitengewone snit. De schoenen zijn zwart gelakt en puntig. Wat keurigheid betreft is er niets op aan te merken, foutloos.

Zeker niet goedkoop. Hun haarcoupe verraadt echter iets ordinairs. De bakkebaarden lopen met een flinterdun streepje over de wangen. Hun haren te dik in de gel. Niettemin is het een heerlijk schouwspel. Achter het bruidspaar lopen waarschijnlijk de broers en de zusters, vader en moeder van de bruid en bruidegom. Verder lopen de bruidsmeisjes en bruidsjonkertjes ook in de stoet mee. Heel popperig zijn hun kleertjes, heel zoet, onmiskenbaar Italiaans. Als de stoet voorbij is hebben we ondertussen onze eerste hap op. We wandelen in de richting van de volgende stand, waar ze visachtige gerechten verkopen. Dan valt mijn oog op een monument. Het is opgericht voor de gevallen Italiaanse jongens in Irak. Ter herinnering aan de zeventien gesneuvelden.

Ondanks de feestelijke stemming waarin ik verkeer, word ik er stil van:

Zeventien doden, allemaal jonge jongens van een jaar of negentien en dat in zo'n klein stadje. Ik vermoed dat bijna iedere inwoner van Grotte di Castro wel op de een of andere manier een connectie heeft met deze jongens. Wat een klap moet dat voor de bewoners zijn. Ongelofelijk. En dan te bedenken het doel waarvoor ze sterven: de vrijheid van wie en voor wie? De gedachte maakt zich van me meester dat we nu aangekomen zijn op het meest triviale niveau van het leven. Ik moet er maar niet te lang bij stilstaan, het is feest vanavond. Bovendien ben ik de enige dwaas die voor dit standbeeld staat te peinzen. Doorlopen dus, anders raak ik mijn vrienden kwijt die alweer naar de volgende stand zijn gewandeld.

Ah, daar zijn ze. Ze hebben zich genesteld op een plek waar een band speelt. Niet echt Italiaans, maar hardrock. De klanken passen niet bij de omgeving. We bestellen bruinebonensoep met zwijnenvlees. Heerlijk. 'Zou Carlo dit zwijn hebben geschoten?', flitste er even door me heen. Kan zijn, want zoveel jagers zullen er toch niet zijn in zo'n klein stadje?

Hoewel ik vreselijk de pest heb aan jagers die dieren doden zonder dat de dieren enige schuld hebben aan iets, vergeef ik het Carlo. Hij blijft voor mij een hele sympathieke man, misschien is hij zelfs een dierenvriend. Maar hoe kan hij dan toch in godsnaam een dier dat je zo lief kan aankijken genadeloos neerknallen? Of doet hem dat ook pijn? Dat zou ik hem toch eens moeten vragen.

We wandelen verder en komen op een groot plein aan met een kerk. Daar wordt dansmuziek gespeeld, maar niemand danst. Kennelijk weten de bandleden de mensen niet te inspireren de vloer op te komen. Slechts één stel, al wat ouder, staat elkaar innig te omhelzen. Dansen is het niet. Ze genieten met volle teugen van elkaar. Het is ook wel een plek om alles even te vergeten en de vlinders weer de ruimte te geven. Terug naar hoe het was. Ik zou wel eens willen weten of de Etrusken ook al dansjes maakten hier.

Moe van al het slenteren keerden we terug. Bergafwaarts gaande keken we omhoog naar Grotte di Castro. Het maakte diepe indruk op ons. We waren weer eens op een plek waar je je echt in het buitenland bevindt. Slechts Italianen, vooral lokalen, en wij.